İNCİ*

JOHN STEINBECK, babası Prusya, annesi ise İrlanda göçmeni ırgat bir ailenin çocuğu olarak, 1902 yılında California'nın Salinas kentinde doğdu. Çocukluk ve ilkgençlik yılları boyunca okul dışındaki zamanını Salinas Vadisi'ndeki çiftliklerde çalışarak geçirdi. Eserlerinin çoğunda da mekân olarak burayı seçti. Erken yaşlarda yazar olmaya karar veren Steinbeck, 1919'da girdiği Stanford Üniversitesi'nde yalnızca yazarlığına katkısı olacağını düşündüğü derslere katıldı. Öğrenimini sürdürdüğü altı yıl boyunca tezgâhtarlık, ırgatlık, marangozluk, laborantlık, boyacılık, kapıcılık gibi pek çok işte çalıştı. Steinbeck'in ilk romanlarından başlayarak emekçilerin yaşam koşullarını ve ilişkilerini başarıyla yansıtabilmesinde bu yaşam deneyimi etkili oldu. Üniversiteyi bıraktıktan sonra New York'a giderek gazetecilik yapmayı denedi ancak yazılarının büyük kısmını yayınlatmayı başaramayarak California'ya döndü. İlk romanı *Altın Kupa* (1929) fazla ilgi görmedi. Yazarlık yeteneği 1935 yılında *Yukarı Mahalle*'nin yayınlanmasının ardından dikkat çekti. Bu eserini her biri birer klasik sayılan *Bitmeyen Kavga* (1936), *Fareler ve İnsanlar* (1937) ve Pulitzer Ödülü kazanan *Gazap Üzümleri* (1939) takip etti. Kitaplarında işçi sınıfının gündelik ilişkilerini, yaşam koşullarını ve mücadelelerini, döneminin ve çağımızın en temel toplumsal meselelerini tüm insani ayrıntılarıyla resmetti. *Sardalye Sokağı, Cennetin Doğusu, İnci* ve daha pek çok başyapıt veren yazar 1962 yılında edebiyata katkılarından dolayı Nobel Edebiyat Ödülü ile onurlandırıldı. Eserleri edebi değerleri kadar güncellikleriyle de övgü alan ve birçoğu sinemaya da uyarlanan Steinbeck, 1968 yılında öldü.

*SEL YAYINCILIK / ROMAN

*SEL YAYINCILIK
Kuloğlu Mahallesi, Turnacıbaşı Caddesi,
No: 17, Beyoğlu – İstanbul
Tel: (0212) 516 96 85

http://www.selyayincilik.com
e-posta: halklailiskiler@selyayincilik.com

SATIŞ - DAĞITIM:
Çatalçeşme Sokak, No: 19/1
Cağaloğlu – İstanbul
e-posta: siparis@selyayincilik.com
Tel: (0212) 522 96 72 Faks: (0212) 516 97 26

*SEL YAYINCILIK: 567
ISBN: 978-975-570-586-6

İNCİ
John Steinbeck
Roman

Türkçesi: Tomris Uyar

Özgün Adı:
The Pearl

© John Steinbeck, 1945 (Elaine Steinbeck, John Steinbeck IV, Thom Steinbeck, 1973)
© AnatoliaLit Telif Hakları Ajansı aracılığıyla Sel Yayıncılık, 2012, 2017

Genel yayın yönetmeni: Bilge Sancı
Yayına hazırlayanlar: M. Onur Doğan, Bilge Sancı
Kapak ve sayfa tasarımı: Gülay Tunç

1. Baskı: Eylül 2012
18. Baskı: Temmuz 2021

Baskı ve Cilt: Yaylacık Matbaası
Fatih Sanayi Sitesi, 12/197-203
Topkapı-İstanbul, 567 80 03

Sertifika No: 44865

John Steinbeck

İNCİ

Türkçesi: Tomris Uyar

Roman

Sunuş

Amerika'da 1930-1940 yıllarında yaşanan Büyük Bunalım döneminin en sevilen yazarı, hiç kuşkusuz John Steinbeck'tir. Steinbeck, 1902'de Salinas, Kaliforniya'da doğdu; toprakları bereketli, gelgelelim geçim koşulları açısından akıl almaz güçlüklerle dolu bir yörede. Daha ilk gençlik yıllarından başlayarak tarım ve sanayi işçilerinin yaşama biçimini, göğüsledikleri güçlükleri yakından gözlemledi. 1919'da girdiği Stanford Üniversitesi'nden 1925'te ayrıldı. Zaten amacı, resmi bir öğrenim görmekten çok, sevdiği derslere girmek, ilgi duyduğu konularda bilgilerini arttırmaktı. Ara sıra, dersleri boşlayıp farklı yerlerde işçi olarak çalıştı. Yazar olmayı daha o günlerde aklına koymuştu. Üniversite dergisinde çeşitli yazıları yayımlandı bu yıllar süresince.

Kısa bir süre New York City'de gazetecilik yaptıktan sonra yakalandığı hastalık onu anayurdu Kaliforniya'ya dönmek zorunda bıraktı. Bu dönemde ilk yayımlanan kitabı *Altın Kupa*'nın (Cup of Gold) aslında dördüncü yapıtı olduğu söylenir. Bu kitapta yazar, sonraları kendine özgü kılıp geliştireceği simgesel anlatımın, şiirsel roman dilinin ilk belirtilerini vermiştir.

Steinbeck, *Yukarı Mahalle* (Tortilla Flat) adlı öyküler derlemesiyle ününü pekiştirdi: Monterey dolaylarında yaşayan köylülerin acılarını, sevinçlerini dile getiren bir dizi öyküyle. Bugün bile Steinbeck hayranlarının başuçlarından ayırmadıkları bir kitaptır *Yukarı Mahalle*.

1937 Şubat'ında yazarın *Fareler ve İnsanlar* (Of Mice and Men) adlı uzun öyküsünün ayın kitabı seçildiğini ve çoksatarlar listesine girdiğini görüyoruz. Sonraları bu öykü oyunlaştırıldı, dünyanın belli başlı kentlerinde başarıyla sahnelendi, ünlü oyuncularca sinemada da başarıyla canlandırıldı.

Steinbeck'in başyapıtıysa *Gazap Üzümleri* (The Grapes of Wrath) adlı destan romandır. Bu romanda Oklahoma'dan Kaliforniya'ya göçe zorlanan tarım işçilerinin çektiği yoksunluklar, yokluklar ve gösterdikleri yiğitçe direniş anlatılır. Yine aynı şiirsel ve sıcak dille. Roman, o dönemin Oklahomalı zenginler sınıfını çok kızdırmıştır ama ülkenin aydınlarının ilgisini topraklarından edilen çiftçilerin sorunlarına çekmeyi başarmıştır (1940 Pulitzer Ödülü). Steinbeck, 1962'de Nobel Edebiyat Ödülü'nü aldı, 1968'de de öldü.

Onun dünyası korkunç denebilecek kertede kayıtsız bir dünyadır. Doğa koşulları acımasızdır. O yüzden insanlar da katıdır, aralarındaki ilişkilerde sonsuz bir gönül kısırlığı göze çarpar. Ama Steinbeck, bu acımasız dünyayı anlatırken umudu elden bırakmaz, özellikle insanoğlunun zalim çevresine uyum sağlamada gösterdiği büyük uyuma övgüler düzer. *Al Midilli* (The Red Pony), *Cennetin Doğusu* (East of Eden, ki yine başarılı bir Hollywood yapımıdır) gibi yapıtlarında da *İnci'*deki (The Pearl) ana izleği bulabiliriz. Yani yaşam süreklidir. Gerçi yaşamın kalıpları değişebilir, bireyler uğradıkları yıkımlar ya da doğa güçlerinin baskısı yüzünden ezilip güçlükler yaşayabilirler ama yaşam temelde asla yok edilemez. Sulara gömülen dev inciyle yenilenir yalnızca.

Steinbeck, yurdumuz okurlarının ve yazarlarının çok etkisinde kaldıkları bir yazar. Yapıtlarının hemen tümü dilimize kazandırılmış. Yıllar sonra elinize aldığınızda da ilk okunuşunda bıraktığı zengin iç etkileri bulabiliyorsunuz bu yapıtlarda. Çünkü Steinbeck, iflasların birbirini izlediği, işsizliğin, parasızlığın, açlığın kol gezdiği, insanoğlunun umudunun, var olma direncinin seyreldiği bir tarih anında olanca görkemiyle gerçek umudun türküsünü söylemiştir. Tozpembe olmayan gerçekçi umudun.

Onun güncelliğini yitirmemesinin bir açıklaması da bu olabilir.

Tomris Uyar

"Kasabada dev incinin öyküsünü anlatıp dururlar; ilk nasıl bulunduğunu, sonra nasıl yeniden kaybedildiğini. Balıkçı Kino'yu, karısı Juana'yı, bebekleri Coyotito'yu anlatırlar. Öykü o kadar çok yinelenmiştir ki, artık herkesin kafasında iyice yer etmiştir. Ve insanların yüreklerinde yer tutup tekrarlanagelen öyküler gibi bunda da yalnızca iyi ve kötü, siyah ve beyaz, uğurlu ve uğursuz vardır, hiçbir şeyin ortası yoktur.

"Bu öykü bir kıssaysa, belki de herkes ondan kendine göre bir anlam çıkarıyordur, kendi yaşamını onda yorumluyordur. Her neyse, kasabada derler ki..."

1

Kino, alaşafakta uyandı. Yıldızlar parlıyordu daha, tan, doğuya düşen gök parçasının alt kısımlarına soluk bir ışık çekmişti. Horozlar, bir süredir ötüyorlardı, erkenci domuzlarsa dalları, tahta parçalarını durmaksızın didikleyip gözden kaçmış yemleri bulma telaşındaydılar. Orkinos ağlarının ötesindeki saz kulübenin dışında bir kuş sürüsü cik cik ediyor, kanat çırpıyordu.

Kino'nun gözleri aralandı, önce, gittikçe aydınlanan kapıya baktı, sonra da Coyotito'nun uyuduğu tavana asılı beşiğe. Neden sonra da yanı başında, hasırın üstünde uyuyan karısı Juana'ya baktı; mavi yeldirmesi burnunu, göğüslerini, sırtını örtmüştü. Juana da gözlerini açtı. Kino ne zaman gözlerini açsa, onu uyanmış bulurdu, şimdiye kadar hep böyle olmuştu. Juana'nın gözlerinde küçük yıldızlar yanıp yanıp sönüyordu. Kocasına her sabah nasıl bakıyorsa, bu sabah da öyle bakıyordu.

Kino, kumsala vuran sabah dalgalarının şıpırtısını duydu. Ne güzel — gözlerini yumdu, bu ezgiye kulak verdi. Bunu yapan belki yalnızca kendisiydi belki de tüm halkı. Kino'nın halkı bir zamanlar türküler bestelemek konusunda harikaydı; öyle ki her gördüklerini, her düşündüklerini, her yaptıklarını, her duyduklarını türkülere dökmüşlerdi. Ama bu gelenek eskimişti, gerçi türküler bugün de yaşıyordu, Kino onları ezbere biliyordu ama yenileri eklenmemişti. Bu, kişisel türkülere yer olmadığı anlamına gelmiyordu. Şu anda Kino'nun içinde duru ve yumuşak bir türkü yükseliyordu, kelimelere dökebilse Ailenin Türküsü derdi ona.

Nemli havadan korunmak için battaniyesini burnuna kadar çekmişti. Yanı başındaki kıpırtıyla o yana döndü. Juana nerdeyse çıt bile çıkarmadan kalkıyordu. Sert, çıplak ayaklarıyla Coyotito'nun uyuduğu beşiğe yürüdü sonra, eğildi, tatlı bir şeyler söyledi. Coyotito bir an ona baktı, sonra gözlerini yumdu, yine uykuya daldı.

Juana, sönmüş ateşe gitti, tutuşmamış bir kömür buldu, onu yelpazeledi, üstüne çalıçırpı döktü.

Kino da kalkmıştı şimdi, battaniyesine başını, burnunu, omuzlarını örtecek şekilde sarındı. Sandaletlerini giyip dışarı, tanyerini gözlemeye çıktı.

Kapının önüne çömeldi, battaniyenin uçlarını dizlerinin çevresinde topladı. Körfez bulutlarının parıltılı beneklerinin göğe doğru alev alev yükselişini izledi. Bir keçi yanaştı, kokladı onu, soğuk sarı gözlerini yüzüne dikti. Kino'nun arkasında, Juana'nın yaktığı ateş harlamış, kulübenin çatlaklarından ışık oklarıyla geçerek kapının dışına oynak bir ışık dörtgeni uzatmıştı. Gecikmiş bir güve, büyük bir şamatayla içeri, ateşi bulmaya daldı. Ailenin Türküsü, şimdi Kino'nun arkasından yükseliyordu. Türkünün temposunu belirleyen, Juana'nın sabah kahvaltısı için mısır dövdüğü dibeğin sesiydi.

Tan, hızla ağarıyordu artık, şöyle bir serpinti, bir ışıltı, bir ışık, derken güneşin Körfez'den yükselişiyle birlikte bir ateş patlaması. Kino, gözlerini güneşten korumak istedi, yere baktı. Çöreklerin tek tek hazırlanışını duydu, tavada kızarırken çıkardıkları mis gibi kokuyu. Karıncalar toprakta harıl harıl çalışıyorlardı, kara, parlak gövdeleriyle iri karıncalar, sonra küçümen boz, tez ayaklı karıncalar. Kino, dev bir karıncanın kurduğu toz tuzağından deliler gibi kaçmaya çalışan küçük karıncayı bir Tanrı gibi kayıtsızca izledi. Cılız, utangaç bir köpek yanaştı yanına, Kino'dan tatlı bir söz duyunca da hemen oraya kıvrıldı, kuyruğunu özenle patilerinin üstüne yaydı, çenesini de bu tüy yumağının üstüne zarifçe yasladı. Kara bir köpekti, kaşlarının olması gereken yerde sarı altınsı benekler vardı, öteki sabahlar gibi bir sabahtı ama yine de hepsinden güzelmiş gibi geldi Kino'ya.

Kino kolanların gıcırtısını duydu, Juana, Coyotito'yu sallanan beşiğinden indirmiş, altını temizlemiş, beline düğümlediği şalına sararak göğsüne yakın bir yere bağlamıştı. Kino bütün olanları bakmadan da görebiliyordu neredeyse. Juana, alçak sesle eski bir türkü söylüyordu, üç notadan oluşan ama sessizliklerden yana zengin bir türkü. Bu türkü de aile türküsünün bir parçasıydı. Hepsi bir parçaydı. Ara sıra boğaza tıkanan acılı bir müzik dizesiyle yükseliyor, işte güven budur, diyordu, sıcaklık budur. *Bütünlük* budur.

Çitin karşı kıyısında başka saz kulübeler de vardı, onlardan da duman yükseliyordu, kahvaltı sesleri duyuluyordu, ama bunlar başka türkülerdi, onların domuzları başkaydı ve karıları Juana değildi. Kino, gençti, güçlüydü, siyah saçları esmer alnına dökülmüştü. Gözleri sıcak, yabanıl, parlaktı, bıyığı ince, sert telliydi. Battaniyesini burnundan çekti, karanlık, zehirli hava dağılmıştı, eve sapsarı güneş ışığı vuruyordu. Çitin yanındaki iki horoz eğildiler, kanatlarını dikleştirip enselerindeki tüyleri kabartarak birbirlerine meydan okudular. Acemi bir dövüş olacaktı besbelli. Av hayvanları değildiler. Kino bir an gözledi onları, sonra gözü ta uzaklardaki tepelere doğru hızla kanat çırpan yaban güvercinlerine takıldı. Dünya uyanmıştı artık, Kino da kalktı, saz kulübesine girdi.

O, kapıdan girerken Juana, yanan ateşin başından kalktı. Coyotito'yu yine beşiğine yatırdı, sonra kendi siyah saçlarını taradı uzun uzun, iki örgü yaptı, uçlarını ince yeşil kurdelelerle bağladı. Kino, ateşin başına çöktü, mısır çöreğini dürüp sosa batırarak yedi. Biraz da pulk* içti, kahvaltısı buydu işte. Şenlik günleri dışında bildiği tek kahvaltı buydu. Çatlayıncaya kadar çörek yeyip hastalandığı bir panayır şenliğini saymazsa. Kino kahvaltıyı bitirince, Juana da ateşin başına geldi, kahvaltısını etti. Bir kerecik konuşmuşlardı bu arada, ama konuşmak salt alışkanlıktan doğuyorsa ne gereği vardı ki. Kino, mutlulukla içini çekti, konuşma buydu işte.

Güneş, saz kulübeyi ısıtıyor, uzun ışınlarla çatlaklarından içeri sızıyordu. İşte bu ışınlardan biri Coyotito'nun yattığı beşiği tutan kolanlara vurdu.

---

* Pulk (*Pulque*): Agave bitkisinden elde edilen hafif alkollü bir içecek. Meksika kültüründe büyülü bir güce sahip olduğuna inanılır. (y. n.)

Ufacık bir kıpırtı yüzünden gözleri sallanan beşiğe ilişti. Kino ile Juana, durdukları yerde kalakaldılar. Bebeğin beşiğini tavandaki payandaya bağlayan kolanda bir akrep yürüyordu usulca. Zehirli kuyruğu sımsıkı gerilmişti ama göz açıp kapayana dek savurabilirdi onu. Kino'nun burun delikleri açılıp kapanıyordu. Ağzını açıp solumayı durdurmaya çalıştı. Sonra birdenbire, şaşkınlıktan kaskatı kesilmiş bedenden eser kalmadı. Kafasında yeni bir türkü, Kötülüğün Türküsü vardı şimdi, düşmanın türküsü, aileye göz diken herhangi bir düşmanın, yabanıl, gizli, ölümcül bir ezgi, onun altında Ailenin Türküsü acıyla yakarıyordu.

Akrep, kolandan ustaca inerek beşiğe doğru ilerledi. Juana, kısık sesle bu tür uğursuzlukları defedecek eski bir büyü mırıldandı, kenetlenmiş dişlerinin arasından Kutsal Meryem'e dua etti. Kino, hemen harekete geçmişti. Usulca, hiç ses etmeden, odanın öte yanına kaydı. Ellerini öne uzatmış, avuçlarını yere bastırmıştı, gözleri akrepteydi. Altta, beşikte yatan Coyotito güldü, elini akrebe doğru uzattı. Tam Kino erişecekken, tehlikeyi sezdi akrep. Durdu, kuyruğu ufak sarsıntılarla sırtına dikildi, kuyruğun ucundaki kıvrık iğne parladı.

Kino kıpırdamadan durdu. Juana'nın eski bir büyü fısıldadığını duyuyordu yine, düşmanın kötü ezgisini duyabiliyordu. Akrep oynayana kadar bekledi; akrep, kendisine doğru gelen ölümün kaynağını sezmeye çalışıyordu şimdi. Kino elini çok usulca kaldırdı. Kuyruk, birden dikildi. Ve o anda Coyotito kahkahalar atarak kolanı salladı, akrep düştü.

Kino atıldı, ama akrep parmaklarından kaydı, bebeğin omzuna düştü, düşer düşmez de soktu onu. Kino, hırıltılar saçarak atladı akrebin üstüne, parmaklarının arasına aldı, ezdi. Yere fırlattı, yumruklaya yumruklaya toprak zemine yapıştırdı, Coyotito, beşiğinde acı acı bağırıyordu. Kino, belirsiz bir leke, toprakta bir ıslaklık haline gelene kadar yumrukladı, ezdi düşmanını. Dişleri ışıl ışıl, gözleri çakmak çakmaktı ve kulaklarında Düşmanın Türküsü gümbürdüyordu.

Juana, bebeği kucağına almıştı bu arada. Şimdiden kızarmaya başlayan akrebin soktuğu yeri bulmuştu bile. Coyotito haykıradursun, dudaklarını deliğe bastırdı, kanı emdi, tükürdü, yeniden emdi.

Kino dört dönüyordu odada; çaresizdi, elinden bir şey gelmiyordu.

Bebeğin çığlıklarına komşular yetiştiler. Saz kulübelerinden boşaldılar bir anda: Kino'nun ağabeyi Juan Tomas ile şişman karısı Apolonia ve dört çocukları kapıya üşüşüp yolu tıkadılar. Arkalarına içeriyi görmek isteyen öbür komşular doluştu. Küçük bir oğlan dizleri üstünde emekleyerek içeri bakmaya çalıştı. Önde duranlar, arkadakilere şu sözleri ilettiler: "Akrep. Bebeği sokmuş."

Juana bir an, yarayı emmekten vazgeçti, durdu. Küçücük delik biraz genişlemiş, emilme sonucu kenarları beyazlaşmıştı ama kırmızı şişlik, sert, akkansı bir şişle çevreye yayılmıştı. Bu insanların hepsi akrep nedir bilirlerdi. Akrebin soktuğu bir yetişkin ağır hasta olabilirdi ama bir bebek zehir yüzünden kolayca ölebilirdi. Bilirlerdi, önce şişme, ateş, boğaz daralması gelirdi, sonra mide kasılmaları, eğer yeterince zehir girmişse, Coyotito da ölebilirdi.

Ama yaranın acısı azalıyordu galiba. Coyotito'nun çığlıkları, iniltiye dönüşmüştü.

Kino her zaman sabırlı, incecik karısındaki bu demir dayanıklılığına şaşıp kalmıştı, öylesine boynu eğik, saygılı, neşeli, sabırlıydı ki, doğum sancısıyla tortop olduğunda bile ses etmezdi. Yorgunluğa ve açlığa, neredeyse Kino'dan daha çok dayanabilirdi. Kayıkta, güçlü bir erkek gibiydi. İşte şimdi de en umulmadık şeyi yaptı.

"Doktor," dedi, "koşun doktoru çağırın."

Bu sözler, çitin ötesindeki küçük avluda sıkış tepiş yığılı duran komşuların arasında dolandı. Kendi aralarında yinelediler, "Juana doktoru istiyormuş." Müthiş bir şey, unutulmaz bir şeydi doktoru istemek. Doktoru getirmek olağanüstü bir şeydi canım! Doktor, bu saz kulübeler topluluğuna hiç adım atmamıştı. Neden atsındı ki, kasabanın kerpiç evlerinde oturan zenginlere ayırdığı zaman bile yetmiyordu, işi başından aşkındı.

"Gelmez," dedi avludakiler.

"Gelmez," dedi kapıda birikenler; Kino da bu düşünceye katıldı.

"Doktor gelmez," dedi Kino, Juana'ya.

Juana gözlerini kocasına dikti, gözleri dişi bir aslanın gözleri gibi buzluydu. Juana'nın ilk bebeğiydi bu — Juana'nın bu dünyada varı yoğuydu. Kino, karısının kararlılığını gördü ve aile türküsü çelik bir ezgiyle çınladı kafasında.

"Öyleyse biz ona gideriz," dedi Juana, bir eliyle koyu mavi yeldirmesini başına çekti, yeldirmenin ucunu ağlayan bebeğin altına serdi, öbür ucunu da yüzüne örterek yavruyu güneşten korudu. Kapının önündekiler, arkadakileri itiştirerek ona yol açtılar. Kino, karısının ardından geliyordu. Kapıdan çıkıp çamurlu patikaya vardılar, komşular da onların ardından geliyordu. Olay, bir mahalle sorununa dönüşmüştü. Tez, yumuşak adımlarla kentin merkezine doğru yürüyüşe geçtiler, önde Juana ile Kino, arkalarında Juan Tomas ile hızlı yürümekten göbeği hop hop oynayan Apolonia, en arkada da çocukları, eteklerine yapışmış komşular kalabalığı. Sarı güneş, kara gölgelerini önlerine doğru uzatıyordu, öyle ki kendi gölgelerine basıyorlardı yürürken.

Saz kulübelerin bittiği, taş ve kerpiç kentinin başladığı bölgeye geldiler; fıskiyelerin oynaştığı, sarmaşıkların duvarları mora, kiremit kırmızısına, beyaza çiçeklediği serin avlu bahçelerinin kentine. Bu gözden ırak bahçelerden kafes kuşlarının türkülerini, kızmış kaldırım taşlarına dökülen serin suyun şıpırtısını duydular. Geçit kalabalığı, gözleri kamaştıran alanı geçti, kilisenin önüne vardı. Kalabalık artmıştı şimdi, araya son katılanlara bebeği bir akrebin soktuğu, anayla babanın bebeği doktora götürdükleri konusunda yavaş sesle bilgiler veriliyordu.

Son gelenler, özellikle parasal konularda büyük uzmanlıkları olan kilise-önü-dilencileri, Juana'nın eski püskü, mavi etekliğine bir göz atıyor, yeldirmesindeki gözyaşı lekelerine bakıyor, örgülerindeki yeşil kurdeleleri beğeniyor, Kino'nun battaniyesinin eskiliğini, giysilerinin kaç bin kez yıkandığını kestiriyor, sonunda onları yoksul kişiler olarak niteleyerek ortaya çıkacak dramı izlemeye koşuyorlardı. Kilisenin önündeki dört dilenci, kasabada her olan bitenden haberdardılar. Kiliseye günah çıkarmaya gelen genç kadınların yüzlerini incelemekte uzmanlaşmışlardı, kadınlar dışarı çıkarken, işledikleri günahı yüzlerinden okurlardı. Küçük çaptaki rezaletlerin tümünü, büyük suçlardan birkaç tanesini bilirlerdi. Kilisenin önündeki gölgede siperlenir, hiç kimsenin onlara görünmeden içeriye, derman aramaya girmemesine çalışırlardı. Doktoru tanıyorlardı. Onun kayıtsızlığını, acımasızlığını, aç gözlülüğünü, tutkularını, günahlarını biliyorlardı. Ana rahminden alırken beceriksizce öldürdüğü çocukları, istemeye istemeye sadaka niyetine dağıttığı kirli paraları biliyorlardı. Onun elinde ölenlerin kiliseye taşınışını görmüşlerdi. Dini tören bitmişti, işler de yavaşlamıştı bu saatlerde, alayın ardına takıldılar, yoldaşlarının yüreklerini okumak derdine düşmüş araştırmacılar sıfatıyla şişman, tembel doktorun akrep sokmuş bir zavallı bebeğe ne yapacağını öğrenmek istediler.

Telaşlı kalabalık neden sonra doktorun evinin dış kapısına vardı. Su şırıltısını, kafeslerde şakıyan kuşların sesini, döşeme taşlarını süpüren uzun süpürgelerin hışırtısını duydu. Doktorun evinden gelen mis gibi kızgın yağ kokusunu içine çekti.

Kino, duraladı bir an. Bu doktor, onlardan biri değildi. Bu doktor, hemen hemen dört yüz yıllık bir süreden beri Kino'nun ırkını döven, aç bırakan, yağmalayan, aşağılayan bir ırktan geliyordu, bu ırk onları öylesine korkutmuştu ki, yerliler boyun eğip kapısına koşmak zorundaydılar hep. Bu ırktan gelen birine her rastladığında böyle olurdu Kino, güçsüzleşir, ürker, öfkeyle dolardı içi. Öfkeyle korku el ele yürürdü içinde. Doktorla konuşmaktansa, onu öldürmek çok daha kolaydı Kino için, çünkü doktorun ırkından gelenler, Kino'nun ırkından gelen herkese hayvanlara seslenircesine seslenirlerdi; kapıdaki demir halkaya uzanırken, öfkesi iyice kabardı, düşmanın gümbürtülü ezgisi kulaklarında zonkladı, dudakları kısıldı, yine de sağ eliyle şapkasını çıkarmaya davrandı. Demir halkayı hızla vurdu kapıya. Kino, şapkasını eline alıp bekledi. Coyotito, Juana'nın kollarında mızmızlanıyor, o da oğluna tatlı bir şeyler söylüyordu. Kalabalık, olanları daha iyi görmek, duymak için kapıya iyice yaklaştı.

Biraz sonra koca kapı, biraz aralandı. Kino, o aralıktan, bahçenin yeşil serinliğini, küçük fıskiyeyi görebiliyordu. Kapıdaki adam, kendi ırkından biriydi. Kino, eski dille seslendi ona. "Bizim küçüğü, ilk doğanımızı akrep soktu," dedi. "Hekimin eli değsin istiyorum."

Uşak aynı dille yanıt vermek istemiyordu. "Az dakika," dedi, "gidiyorum kendime haber vermeye." Sonra kapıyı örttü, sürgüyü itti. Kızgın güneş, kalabalıktakilerin salkım salkım gölgelerini beyaz duvara kapkara yansıtıyordu.

Doktor, odasında, geniş karyolasında doğruldu. Paris'ten getirtilme kırmızı, hareli bir sabahlık giymişti, göğüs düğmeleri zor kavuşuyordu. Kucağında, gümüş tepside gümüş bir kakao taşıyla fildişi renginde porselen bir fincan vardı. İri elinin başparmağıyla işaret parmağını fincanın kulpunda birleştirmişti, öteki üç parmağını iyice açarak fincanı ağzına götürdüğünde fincan büsbütün küçücük, gülünç göründü elinde. Gözleri, tabaktaki lop et parçalarına ilişti, ağzı büzüldü. Gittikçe şişmanlıyordu, sesi bile boğazını saran yağ tabakası yüzünden kısık çıkmaya başlamıştı. Yanı başındaki sehpada küçük, doğu işi bir zille kocaman bir sigara kutusu duruyordu.

Odanın döşenişi karanlık, iç kapayıcıydı. Duvarlarda dini resimler asılıydı, eğer vasiyet ettiği ve servetinden karşılanan kilise ayinleri yettiyse, şu anda çoktan Cennet'te olan zavallı rahmetli karısının büyütülmüş renkli portresi bile dini bir hava saçıyordu. Doktorun eskiden kısa süren ama göz kamaştıran bir yaşamı olmuştu. O günden bu yana da bütün yaşamı Fransa anıları, Fransa özlemiyle doluydu. "İşte uygar yaşam buna derler," diyordu küçük bir gelirle metres tutabilmek, pahalı lokantalarda yemek yiyebilmeyi kastederek. İkinci fincan kakaoyu doldurdu, bir bisküvi kırdı. Dışarıdaki uşak, açık oda kapısının önünde durmuş, efendisinin dikkatini çekmeyi bekliyordu. "Evet?" dedi doktor.

"Zavallı bir Kızılderili, bebeğiyle gelmiş. Akrep sokmuş bebeği dediğine göre."

Doktor öfkesinin kabarmasına fırsat vermeden fincanını usulca elinden bıraktı.

"Benim 'zavallı Kızılderililer'in böcek sokmalarını iyileştirmekten başka işim yok mu? Ben doktorum, veteriner değil."

"Peki Patron," dedi uşak.

"Parası var mıymış?" dedi doktor. "Hayır tabii, asla paraları olmaz. Bu dünyada bir ben, yalnız ben, karşılıksız iş görmek zorundayım sanki. Bıktım usandım! Parası var mıymış, öğren bakalım!"

Uşak, koca kapıyı azıcık araladı, bekleşen kalabalığa baktı. Bu kez bildik dille konuştu:

"Bakım için yeterli paran var mı?"

Kino, battaniyesinin altındaki gizli bölmeye el attı. Bumburuşuk bir kâğıt çıkardı. Kâğıdın katlarını özenle açtı, sonunda tam sekiz tane biçimsiz, küçücük inci tanesi çıktı ortaya, küçük irinli yaraları andıran çirkin, boz, yassılmış, değersiz inciler. Uşak kâğıdı aldı, kapıyı yine kapadı ama bu kez dönüşü uzun sürmedi. Kâğıdı uzatabilecek kadar araladı kapıyı.

"Doktor bey çıkmış," dedi. "Önemli bir vakaya çağırmışlardı." Sonra utançla, hızla örttü kapıyı.

O anda, büyük bir utanç dalgası kalabalığı kapladı. Sanki birden eridi gitti insanlar. Dilenciler, kilisenin merdivenlerine döndüler, aylaklar dağıldı, komşular da Kino'nun utancı, herkesin içinde aşağılanışı yüzüne vurulmasın diye evlerine gittiler.

Uzun bir süre Kino, yanı başındaki Juana ile birlikte kapının önünde dikeldi. Sonra yavaşça yardım dilenen zavallı şapkasını başına yerleştirdi. Hiç umulmadık bir anda kapıya korkunç bir yumruk indirdi. Şaşkın gözlerle kanayan parmaklarına, aradan sızan kana baktı.

2

Kasaba, geniş bir koydaydı, sarı sıvalı yapılar kumsalla kucak kucağaydılar sanki. Kumsalda, Nayarit'ten gelme beyaz ve mavi kanolar dururdu, kıyıya çekilen bu kanolar, karışımını yalnızca balıkçıların bildiği, deniz kabukları kadar dayanıklı su geçirmez bir macun yüzünden kuşaklar boyu bozulmadan kalabilmişlerdi. Baş ve kıç bölümleri hafif eğimli zarif kanolardı bunlar, tam ortaya, küçümen, üç köşeli bir yelken sarılabilecek bir direk dikiliydi.

Kumsal, boydan boya sapsarı kumdu ama kıyıda deniz kabuklarından ve yosunlardan bir küme alıyordu kumun yerini. İri kıskaçlı yengeçler, kumdaki oyuklarında köpükler çıkararak, tükürükler saçarak dolaşıyor, sığlıklarda küçük ıstakozlar, molozlarla kum tanecikleri arasındaki küçük yuvalarında koşuşturup duruyorlardı. Deniz dibi, sürünen, yüzen, serpilen canlılarla dolup taşıyordu. Kahverengi yosunlar, yumuşacık akıntılarla dalgalanıyor, yeşil zostera otları salınıyor, küçük denizaygırlarıysa köklere tutunuyorlardı. Benekli ağu balıkları, diplerde, zostera yataklarına yayılıyor, parlak renkli yengeçler, onların üstüne tırmanıyorlardı. Kumsaldaysa, kasabanın aç köpekleriyle aç domuzları, kabaran gelgitle kumsala vurabilecek bir balık ya da bir deniz kuşu ölüsü bulmak için yılmadan çabalıyorlardı. Sabahın ilk saatleri olmasına karşın, göğe puslu bir hava hakimdi. Bazı görüntüleri abartan, kimilerini de silikleştiren kaypak hava, Körfez'i boydan boya kaplamıştı, her görünüm gerçek dışıydı, bu durumda göze güvenilemezdi; denizle toprak, düşlerdeki kesin çizgilere ve belirsizliklere bürünmüştü. Belki de Körfez insanlarının ruhlara, hayal gücünden doğan nesnelere inanmaları, öte yandan uzaklığı kestirmede, dış çizgileri saptamada ya da şaşmaz bir görüş açısı gereken her türlü olayda kendi gözlerine inanmamaları buna bağlanabilirdi. Kasabanın karşı yakasındaki koyda, manrov ağaçlarının bir bölüğü açık seçik, teleskoptan görünürcesine kesin görünürken, başka bir manrov kümesi kara - yeşil bir lekeyi andırıyordu. Kıyının öteleri, suya benzeyen bir parıltıda, yitip gidiyordu. Gördüğünüze inanamazdınız kolayca, gördüğünüz gerçekte var mıydı, yok muydu bilemezdiniz. Körfez insanları, dünyada her yerin böyle olduğunu sanırlardı, bu hiç de garip gelmezdi onlara. Denizin üstünü bakır bir pus kaplamıştı, sıcak sabah güneşi, buğunun üstüne üstüne vuruyor, ona göz kamaştırıcı parıltılar saçtırıyordu.

Balıkçıların saz kulübeleri, kumsalın gerilerinde, kasabanın sağ yanına kurulmuştu, kanolar da bu bölgeye çekilmişti.

Kino ile Juana, yavaşça kumsala indiler, Kino'nun kanosuna, dünyadaki tek değerli malına doğru yürüdüler.

Çok eski bir kanoydu. Kino'nun dedesi, Nayarit'ten almış, Kino'nun babasına vermişti, böylelikle kano sonunda Kino'ya geçmişti. Hem değerli bir mal, hem de geçim kaynağıydı, çünkü kayığı olan bir erkek, kadınına aç kalmayacağı güvencesini verebilir. Açlığa karşı bir kalkandır kano. Her yıl Kino, yine babasından kalan o gizemli yöntemle kayığını elden geçirir, deniz kabuğu sertliğindeki dayanıklı macunla sıvardı. Kanosunun yanı başındaydı şimdi, her zamanki gibi onun baş tarafını sevgiyle okşadı. Dalma kayasını, sepetini, kumda duran iki halatını içine yerleştirdi. Battaniyesini katlayıp baş kısma koydu.

Juana, Coyotito'yu battaniyenin üstüne yatırdı, yeldirmesini üstüne örttü ki kızgın güneş yavruyu etkilemesin. Bebek yatışmıştı şimdi, ne var ki omzundaki şiş, ensesine kadar yürümüştü, kulağının altı, yüzü, gözü, iyice şişmiş, kızarmıştı. Juana denize yürüdü. Bir avuç kahverengi yosun kopardı, yosunları yassılttı, nemli bir bulamaç haline getirdikten sonra bebeğin şiş omzuna bastırdı, en az doktorun verebileceği herhangi bir ilaç kadar etkili bir lapaydı bu, belki de daha etkiliydi. Gelgelelim yosun lapası bedava olduğundan, kimselerde güven uyandırmıyordu. Coyotito'nun kasılmalı karın ağrıları daha başlamamıştı. Belki de Juana, zehri zamanında emip çıkarmıştı, yine de yavrusu adına duyduğu kaygıyı atamamıştı içinden. Tanrı'ya doğrudan bebeğin iyileşmesi için değil, bebeklerini kurtarsın diye doktora verebilecekleri bir inci bulmak için yakarmıştı; dedik ya, buradaki insanların kafaları da Körfez'in puslu havası kadar bulanıktır diye.

Kino ile Juana kanoyu denize ittiler birlikte, baş kısım yüzmeye başlayınca Juana atladı, Kino kıç kısmı suya itti, kano oynak dalgalarda hafif kıpırtılarla yol alana kadar suda yürüdü. Sonra Kino ile Juana, yine birlikte, kano küreklerine asıldılar; kano, suyu yararak ıslıklar çıkararak hızlandı, öteki inci avcıları, çoktan gitmişlerdi. Birkaç dakikaya kalmadan Kino onları gördü, siste, istiridye yatağının oradaydılar.

Günışığı, sudan süzülüp fırfırlı inci istiridyelerinin tutundukları çakıllı dibe vuruyordu; kırılmış, kabukları açılmış istiridyelerle tıklım tıklım olan deniz dibine. İşte geçmiş yıllarda İspanya Kralı'nı Avrupa'da büyük bir güç katına yükselten, büyük savaş harcamalarını ödeyen, Kral'ın ruhunun kurtuluşu uğruna kiliseleri cömertçe süsleyen bu istiridye yatağıydı. Kabuklarında eteklikleri andıran fırfırlarla boz istiridyeler, eteklerine yapışmış yosun kalıntılarıyla yapışkan kabuklu istiridyeler ve sırtlarına tırmanan küçük yengeçler. Bu istiridyelerin başına her an bir kaza gelebilirdi, kas büklümleri arasına kaçan bir kum tanesi, etlerine öylesine batabilirdi ki et, kendini korumak amacıyla kum tanesinin üstünü pürüzsüz bir tutkal tabakasıyla kaplayabilirdi. Ama bu işlem bir kere başladı mı, sonu kolay kolay gelmezdi, yabancı gövde bir gelgitle kopup gidene kadar ya da istiridye tükenene kadar sürerdi, insanlar, yüzyıllardır dalmış, deniz diplerinden istiridyeler sökmüş, içlerini açarak bu tür tutkalla kaplı kum tanecikleri aramışlardı. Yatağın yanı başında balık sürüleri dolanıyor, inci arayıcılarının açıp denize attığı istiridyelerin parıldayan iç kabuklarını didikliyorlardı. Ama inci bulmak, bir rastlantı sonucuydu, inci bulmak uğur getirirdi kişiye, Tanrı'nın, tanrıların ya da hepsinin o kişinin sırtını sıvazlaması anlamına gelirdi.

Kino'nun iki halatı vardı, biri ağır bir taşa bağlıydı, öteki de sepete. Gömleğiyle pantolonunu çıkardı Kino, şapkasını kanonun dibine attı. Su, yağ kayganlığındaydı. Bir eline taşını aldı, öbürüne sepetini, ayaklarını kanonun kıyısından sarkıtarak suya girdi; kaya, dibe çekti onu. Arkasından köpükler yükseldi, sonra su duruldu, çevre seçilir oldu. Tepesinde, suyun yüzeyi, pırıl pırıl yakamozlanan bir ayna gibiydi, ara sıra bu yüzeyi yaran kanoları görüyordu.

Kino, sakınarak ilerledi, suyun çamur ya da kum yüzünden bulanmamasına çalıştı. Sonra ayağını taştaki ilmeğe geçirdi; elleri çarçabuk işliyordu, bazı istiridyeleri teker teker, bazılarını kümelerle söküp çıkarıyordu. Hepsini sepetine koydu. Bazen istiridyeler birbirlerine kenetleniyor, çekildiklerinde, hep birlikte çıkıyorlardı kolayca.

Kino'nun halkı her olan bitene türkü yakardı, demiştik. Bu arada balıklara, öfkelenen denizle uysal denize, aydınlıkla karanlığa, güneşle aya da türküler düzmüşlerdi, bütün bu türküler Kino ile halkının yüreğindeydi. O güne kadar yazılmış her türkü, unutulmuş olanlar bile. Sepetini doldururken de bir türkü yüreğindeydi Kino'nun, türkünün ritmiyse, tuttuğu soluktaki oksijeni tüketen yüreğinin güm gümleriydi, türkünün ezgisi boz yeşil deniz, devinen hayvanlar, hızla geçip giden balık sürüleriydi. Fakat bu türkünün içinde bir başka küçük türkü gizliydi, tamı tamına duyulamayan ama hep orada olan, tatlı, gizli, süreğen bir türkü, diğer ezginin içinde saklanan Umulan İnci'nin Türküsü'ydü bu, sepete atılmış her istiridyede bir inci olabilirdi pekâlâ. Olasılıklar bunun aksiydi belki ama şans ve tanrılar ondan yana olabilirdi. Ve Kino biliyordu ki tepesindeki kanoda Juana dualarla büyü yapıyordu; yüzü asıktı ve kasları şansını zorlamak için, tanrıların elinden şansı koparıp almak için gerilmişti; Coyotito'nun akrep sokuğu omzuna gerekiyordu bu şans. Gereksinimin büyüklüğünden olacak, umulan incinin küçük, gizli ezgisi daha güçlüydü bu sabah. Uzun ses tümceleri duru, hafif bir sesle Denizaltı Türküsü'ne karışıyorlardı.

Kino gururlu, genç ve güçlüydü, iki dakikayı aşkın bir süre su altında zorlanmadan kalabilirdi, o yüzden de özenle çalışıyor, en iri kabukları seçiyordu. İstiridyeler tedirgindiler, sımsıkı kapanmışlardı. Azıcık sağında pürtüklü bir kaya tümseği yükseliyordu, ele gelmeyen genç istiridyelerle kaplıydı. Kino, tepeciğe doğru ilerledi, hemen yanında, küçük bir çıkıntının altında, kardeşleriyle sarmaşmamış, tek başına yatan koskocaman bir istiridye gördü. Kabuğu azıcık aralanmıştı, üstündeki çıkıntı bu çok ihtiyar istiridyeyi koruyordu, Kino, dudaksı kaslarda ölü bir parıltı yakaladı, sonra kabuk kapandı yine. Kino'nun yüreği hızla çarpıyordu, umulan incinin ezgisi kulaklarında çığlık çığlığaydı şimdi. Usulca, istiridyeyi yerinden söktü, sıkı sıkı göğsüne bastırdı. Bir tekmede kayadan kurtardı ayağını, gövdesi su yüzüne yükseldi, siyah saçları güneşte parladı. Kanonun kenarından eğilerek istiridyeyi yere bıraktı.

O tırmanırken Juana, kanonun dengesini korudu. Kino'nun gözleri heyecandan alev alevdi ama duygularını belli etmeden kayasını çekti sudan, sonra da istiridye dolu sepetini çekti. Juana, onun heyecanını sezmişti ama görmezlikten geldi. Bir şeyi çok fazla istemek iyi değildir. Bazen şans ters dönebilir yoksa. Ayarında istemeyi bilmeli kişi, Tanrı ile ya da tanrılarla iyi geçinmenin yolunu bulmalı. Juana'nın soluğu kesilmişti. Kino, büyük bir kararlılıkla bıçağını çekti. Sepete umutla baktı. Belki de o istiridyeyi en son açmak daha doğruydu. Sepetten küçük bir istiridye seçti, kası kesti, et büklümlerini aradı, suya fırlattı kabuğu. Sonra birdenbire, koca istiridyeyi ilk kez görmüş gibi oldu. Yere çöktü, kabuğu eline alıp inceledi. Yivler kahverengiden karaya dönüyordu, birkaç kabuklu yaratık, yüzeye yapışmış, öylece duruyorlardı. Kino kabuğu açmaktan caymıştı. Gördüğü, bir yansıma olabilirdi, rastgele sürüklenmiş yassı bir kabuk ya da tam bir göz yanılsaması. Belirsiz ışığın egemen olduğu bu Körfez'de yanılsamalar, gerçeklerden çok daha olağandı.

Gelgelelim Juana'nın gözleri gözlerine dikilmişti, bekleyemiyordu artık. Elini Coyotito'nun başına koydu. "Aç onu," dedi yavaşça.

Kino, bıçağını ustaca kabuğun arasına soktu. Bıçaktaki basınçtan, içerdeki kasın sertleştiğini duyuyordu. Onu kaldıraç gibi kullandı, kapanan kas aralandı, kabuk yere düştü. Dudaksı et tortop oldu, sonra gevşedi. Kino eti aldı, işte orada dev inci, bir ay görkemiyle parlıyordu. Işığı tutsak ediyor, inceltiyor, gümüşsü bir parıltıyla yansıtıyordu. Bir martı yumurtası büyüklüğündeydi. Dünyanın en büyük incisiydi.

Juana soluğunu tuttu, hafif bir inilti koyverdi. Umulan incinin gizli ezgisi yükseldi; duru, güzel, zengin, sıcak, olağanüstü, parıltılı, düşman çatlatırcasına, ve muzaffer. Dev incinin yüzeyinde düş biçimleri seçilebiliyordu. Ölen etten ayırdı inciyi, avucuna aldı, evirdi, çevirdi, eğiminin kusursuz olduğunu gördü. Juana yaklaştı, onun eline baktı, doktorun kapısını yumruklayan eliydi bu, parmaklarındaki yüzülmüş deri deniz suyundan boz beyaza dönmüştü.

Juana hiç düşünmeden babasının battaniyesinde uyuklayan Coyotito'ya koştu. Deniz yosunu lapasını kaldırdı, omzuna baktı çocuğun. "Kino!" diye bir çığlık attı. İncinin üstünden o yana baktı Kino, bebeğin omzundaki şiş hızla iniyordu, zehir çekiliyordu bedeninden. İşte o zaman Kino'nun yumruğu incinin üstüne kapandı, kendini tutamadı artık. Başını geriye atıp bir nara attı. Gözleri dönmüştü, gövdesi kaskatıydı bağırırken, öteki kanolardan adamlar, şaşkın şaşkın ona baktılar, sonra küreklerine hızla asılarak Kino'nun kanosuna doğru yarıştılar.

3

Kasaba, koloni halinde yaşayan bir hayvan gibidir. Kasabanın bir sinir sistemi, bir başı, omuzları ve ayakları vardır. Kasaba, öbür kasabalara hiç benzemeyen apayrı bir yaratıktır, öyle ki dünyada birbirine benzeyen iki kasaba bulamazsınız. Kasabanın duyguları da bütünlük gösterir. Haberlerin kasaba sokaklarında nasıl yayıldığı kolayca çözümlenemeyecek bir gizdir. Sanki haber, seğirtip onu yetiştirmeye can atan küçük oğlanlardan da, çitlerden eğilip çığrışan kadınlardan da daha tez ayaklıdır.

Kino ile Juana, öbür balıkçılarla birlikte Kino'nun saz kulübesine varmadan önce, kasabanın nabzı hızlanmıştı bile, haberin titreşimleri duyuluyordu: Kino, Dünya'nın Biricik İncisini bulmuştu. Küçük oğlanların haykırmalarına kalmadan, anneleri bu haberi almışlardı. Haber, saz kulübeleri yalayarak geçti, taştan ve kerpiçten oluşan kasabaya kabaran bir dalga gibi yüklendi. Bahçesinde gezinen rahibe sokuldu, onun gözlerine dalgın bir bakış yerleştirdi, kilisede yapılması gereken onarımları düşündü rahip. İncinin değeri neydi acaba? Acaba Kino'nun bebeğini vaftiz etmiş miydi, yoksa bebek doğduktan sonra mı evlendirmişti çifti? Haber, mağaza sahiplerine de ulaştı sonunda, onlar da dükkânlardaki pek satmayan erkek giysilerine bir göz attılar.

Haber, yaşlanmaktan başka hiçbir derdi olmayan kadın hastasına bakan doktora da ulaştı, ne kadın ne de doktor benimsiyorlardı bu gerçeği. Kino'nun kim olduğu anlaşılınca, doktor ciddileşti, kurnazlaştı, "Kendisi benim hastamdır," dedi, "çocuğunu akrep sokmuş, ben bakıyorum." Sonra doktorun gözleri gömülü durdukları yağ torbalarında şöyle bir döndüler, aklına Paris düşmüştü yine. Orada yaşadığı, kendisine büyük ve görkemli bir saray gibi gelen odacığı anımsadı, kendisiyle tıpkı güzel ve sevecen bir genç kız gibi yaşayan ama aslında bu üç özellikten de yoksun olan sert yüzlü kadını anımsadı. Yaşlı hastasına bakarken, ötelerde, kendisini Paris'te bir lokantada otururken gördü, garson bir şişe şarap açmak üzereydi.

Haber, kilisenin önünde bekleşen dilencilere herkesten önce vardı, onları keyiften kıkır kıkır güldürdü, çünkü dünyada birdenbire şansı dönen bir yoksul kadar sadakadan yana cömert adam olmadığını bilirlerdi.

Demek Kino, Dünya'nın Biricik İncisini bulmuş! Kasabada, küçük yazıhanelerde, balıkçılardan inci satın alan tüccarlar oturmuş, düşünüyorlardı. İnciler gelene kadar koltuklarından kıpırdamaz, sonra birdenbire kabarır, acımasızca tartışır, bağırıp çağırır, göz korkutur, balıkçıların inebilecekleri son fiyatı beklerlerdi. Ama fiyatı bir sınırın altına çekmeye cesaret edemezlerdi, çünkü bir keresinde umutsuzluğa kapılan bir balıkçı, incilerini kiliseye armağan etmişti. Satış bitti mi, alıcılar bir köşeye çekilir, kıpır kıpır parmaklarıyla incileri eller, keşke bunlar, bizim olsaydı diye iç geçirirlerdi. Aslında alıcıların sayısı çok değildi daha doğrusu tek alıcı vardı da adamlarını başka başka yazıhanelere yerleştirerek birbirleriyle fiyat yarışına girmiş izlenimini uyandırmak istemişti. Haber, bu adamlara da ulaştı, gözleri kısıldı hemen, parmak uçları gidişti, hepsinin aklına aynı şey geldi: Patron sonsuza kadar yaşayacak değildi ya, eninde sonunda biri onun yerine geçecekti. Ve her biri, birazcık sermayesi olsa işine nasıl yeni bir yön verebileceğini düşündü.

Her çeşit insan, Kino ile ilgilenmeye başlamıştı – satacak malı olanlar, hatırla iş yaptırmak isteyenler. Kino, Dünya'nın Biricik İncisini bulmuştu ya. İncinin özü, insanların özleriyle karışınca ortaya acayip, karanlık bir tortu çıkıyor, sonra çökeliyordu. Herkes Kino'nun incisiyle bir bağ kurmuştu birdenbire, Kino'nun incisi de herkesin düşlerine, yatırımlarına, düzenlerine, tasalarına, geleceğine, dileklerine, gereksinimlerine, tutkularına, açlığına katılıverdi, aradaki tek engel Kino'ydu, o yüzden de garip bir biçimde herkesin düşmanı oluverdi Kino. Haber, kasabada uyuklayan sonsuz kara ve uğursuz bir şeyi uyandırmıştı; bu kara tortu bir akrebi andırıyordu, aş kokusu gelirken duyulan açlığı andırıyordu, sevgisiz kalınınca duyulan yalnızlığı andırıyordu. Kasabadaki zehir keseleri, hemen öldürücü bir ağu üretmeye koyuldular, kasaba bu ağunun etkisiyle kabarıp şişti.

Gelgelelim Kino ile Juana, olup bitenlerden habersizdiler. Kendileri mutlu ve coşkulu olduklarından, herkesin bu sevinci paylaştığını sanıyorlardı. Juan Tomas ile

Apolonia paylaşıyorlardı, onlar da aynı dünyadandılar, öyle ya. İkindide, güneş Yarımada'nın dağlarını aşıp da öte denizde batmaya başladığında, Kino kulübesinde yere çöktü, Juana da yanındaydı. Saz kulübe komşularla dolup taşıyordu. Kino, dev inciyi avucunda tutuyordu, sıcacık, canlı gibiydi inci elinde. İncinin ezgisi ailenin türküsüyle birleşmiş, ikisi birbirlerini daha da güzelleştirmişti. Komşular, Kino'nun elindeki inciye bakıyor, şaşıyorlardı: Bir insanın ayağına nasıl böylesine büyük bir uğur gelirdi?

Ağabeyi olduğu için Kino'nun sağ yanında oturan Juan Tomas, sordu: "Peki artık zengin olduğuna göre ne yapmayı düşünüyorsun?"

Kino, inciye baktı; Juana kirpiklerini yere indirdi, yeldirmesiyle yüzünü örttü, heyecanı yüzünden okunsun istemedi. İncinin akkor ışığında Kino'nun gözlerinin önüne geçmişte düşlediği ama olanakdışı saydığı için hemen vazgeçtiği görüntüler belirdi. İncide Juana'yı, Coyotito'yu ve kendini yüce sunağın önünde ayakta dururken, sonra da diz çökerken gördü; karşılığını ödeyebileceklerine göre artık evlenebilirlerdi. Usulca, "Evleneceğiz," dedi, "kilisede."

İncide, o günkü kılıklarını da görebiliyordu Juana yenilikten hışır hışır bir yeldirmeyle yepyeni bir eteklik giymişti, uzun eteğinin altından Kino, karısının pabuçlarını görebiliyordu. İncide, ışıl ışıldı bu resim. Kendisi bembeyaz yeni bir takım giymişti, yeni bir şapkası vardı, hasırdan değil, ama ince fötr bir şapka — onun da pabuçları vardı ayağında hem de sandalet değil, bağcıklı pabuçlar. Asıl Coyotito görülmeye değerdi! Amerika Birleşik Devletleri'nden getirilmiş mavi bir denizci üniforması giymişti, bir zamanlar Kino'nun koya demirleyen gezinti gemisindeki birinde gördüğü küçük bir yat kasketi vardı başında. Bütün bunları saydam incide gördü Kino, "Yeni giysilerimiz olacak," dedi.

O anda incinin ezgisi borazanlarla yükseldi, kulaklarında uğuldadı.

Sonra da incinin güzelim boz yüzeyine Kino'nun gönül koyduğu küçücük şeyler geldi: geçen yıl yiten zıpkının yerine bir yenisi, demir bir zıpkın, ucu çemberli; sonra ama bu kadarı olamazdı ama neden olmasın, yivli bir tüfek, artık zengindi. Kino, kendisini, Kino'yu gördü incide, Winchester tüfeğiyle Kino'yu. Çılgın bir düştü doğrusu, çok keyifliydi. Dudakları kararsızca kıpırdadı "Bir yivli tüfek," dedi. "Belki."

Engelleri yıkan da bu tüfek oldu işte. Olanak dışı bir şeydi çünkü, ona kavuşmayı düşünürse, bütün ufuklar parçalanıp açılacaktı önünde, dur durak kalmayacaktı.

Derler ya, insan asla doymak bilmez diye, yüzünü verseniz ille de astarını ister diye. Bu sözler insanı kınama amacıyla söylenir, oysa insan soyunun en büyük yeteneklerinden biri, onu elindekiyle yetinen hayvanlardan üstün kılan bir yetenektir bu.

Evde diz dize, suskun oturan komşular, Kino'nun çılgın düşlerini başlarını sallayarak dinlediler. "Yivli bir tüfek ha," diye mırıldandı biri arkalardan, "Bir tüfek alacakmış."

Gelgelelim incinin ezgisi, Kino'nun yüreğinde utkuyla yükseliyor, gitgide tizleşiyordu. Juana başını kaldırdı, Kino'nun yürekliliği, hayal gücünün genişliği karşısında gözleri şaşkınlıktan iri iri açılmıştı. Artık ufuklar paramparça olduğundan elektrik yüklü bir güç sarmıştı

Kino'yu. İncinin ışığında Coyotito'yu okulda, ufak bir sırada otururken gördü, bir zamanlar aralık kalmış bir kapıdan böyle bir sıra görmüştü. Coyotito ceket giymişti, beyaz yaka, enli, ipek bir boyunbağı takmıştı. Dahası, kocaman bir kâğıdın üstüne bir şeyler yazıyordu. Kino, yanan gözlerle komşularını süzdü. "Benim oğlum okuyacak," dedi, komşular suspus oldular. Juana soluğunu tuttu bir an. Kocasına bakarken gözleri pırıl pırıldı, sonra gözlerini kucağındaki Coyotito'ya çevirerek söylenenin gerçekleşip gerçekleşemeyeceğini anlamak istedi.

Ne var ki Kino'nun yüzü, esenlik muştularıyla ışıldıyordu: "Benim oğlum okuma öğrenecek, kitaplar karıştıracak, yazacak da, yazmayı da öğrenecek. Oğlum sayılarla da uğraşacak, onun bunları bilmesi bizi özgürlüğe kavuşturacak o öğrenecek, onun aracılığıyla bizler de öğreneceğiz."

İncinin ışığında Kino, kendisiyle Juana'yı saz kulübede, ateşin başına çökmüş gördü, Coyotito koca bir kitap okuyordu onlara. "İncinin uğuru bu olacak işte," dedi Kino. O güne dek yaşamı süresince hiç bu kadar uzun konuşmamıştı. Birdenbire böyle boşboğazlık ettiği için ürktü. İnciyi örttü eliyle, ışığını kesti. Kino, düşünmeden, 'Yapacağım' diyen bir adamın korkusunu taşıyordu şimdi.

Komşular, büyük bir mucizeye tanık olduklarını kavramışlardı. Biliyorlardı ki bundan böyle takvim, Kino'nun incisinden başlayacaktır; evet, yıllar yılı bu anı düşünecek, tartışacaklardı. Dedikleri gerçekten çıkarsa, Kino'nun bugünkü halini, neler dediğini, gözlerinin nasıl parladığını yıllar boyu kim bilir kaç kere anacaklar ve diyeceklerdi ki: "Sureti değişmiş bir adam olup çıkmıştı canım. Sanki içine gizli bir güç girmişti, her şey böyle başladı. Gördünüz, nasıl ansızın yüce bir kişi katına yükseldi o andan sonra. Ben kendi gözlerimle gördüm."

Kino'nun tasarıları gerçekleşmezse, o zaman da şöyle diyeceklerdi komşular: "Her şey böyle başladı. Üstüne deli deli bir hal geldi, saçmaladı durdu. Tanrı bizi bu tür illetlerden korusun. Evet evet, kurulu düzene başkaldırdığı için Tanrı, Kino'yu cezalandırdı. Ne duruma düştüğünü görüyorsunuz. Ben kafasından sağduyunun uçup gittiği anı gözlerimle gördüm."

Kino, sıkılı yumruğuna baktı, kapıyı yumrukladığı kısımlarında deri gergindi, parmak boğumları yer yer yüzülmüştü.

Alacakaranlık birazdan çökecekti. Juana bebeği yeldirmesine sararak beline bağladı, ateşe doğru yürüdü, küllerden bir kömür çıkardı, üstüne çalı çırpı atarak canlandırdı ateşi. Küçük alevler, komşuların yüzlerinde oynaşmaya başladı. Komşular evlerine, sofralarına dönmek zorunda olduklarını biliyorlardı ama canları hiç ayrılmak istemiyordu.

Karanlık bastırmıştı nerdeyse, Juana'nın ateşi, saz kulübenin duvarlarını gölgelerle dolduruyordu, tam o sırada kulaktan kulağa bir fısıltı yayıldı: "Peder geliyor, rahip geliyor." Erkekler şapkalarını çıkardılar, kapıdan çekildiler, kadınlarsa yeldirmelerine sarınıp yere baktılar. Kino ile kardeşi Juan Tomas ayağa kalktılar. Rahip odaya girdi. Saçları aklaşmaya, kendisi ihtiyarlamaya başlamıştı, derisi buruş buruştu ama gözleri canlıydı. Bu insanları çocuk gibi görüyor, onlara çocuğa davranır gibi davranıyordu.

"Kino," dedi tatlı bir sesle, "sen önemli bir adamın, Kilisenin bir büyüğünün adını taşıyorsun." Sözlerinin bir kutsama havası taşımasına özen gösteriyordu. "Senin adaşların çölü evcilleştirdiler, halka bilgelik tohumları aşıladılar, bunu biliyor muydun? Bütün kitaplarda yazılıdır."

Kino, Coyotito'nun Juana'nın beline dayalı duran başına bir göz attı. Bir gün, diye geçirdi içinden, bu çocuk kitaplarda neyin yazılı olduğunu, neyin olmadığını öğrenecek. Artık ezgiyi duyamıyordu; şimdi incecikten, usulca, sabahki uğursuzluk ezgisi, düşmanlığın sesi duyuluyordu, ama çok uzaklarda, çok hafif. Kino, bu ezgiyi yanında getirenin kim olduğunu anlamak amacıyla komşularını süzdü.

Rahip konuşmayı sürdürdü. "Büyük bir servete konmuşsun duyduğuma göre, dev bir inci bulmuşsun."

Kino, avucunu açtı, inciyi uzattı; rahip, incinin iriliği ve güzelliği karşısında soluğunu tuttu. Sonra dedi ki, "Ey oğul, umarım sana bu hazineyi bağışlayan Tanrı'ya şükretmeyi ve ilerde sana yol göstermesi için dua etmeyi unutmazsın."

Kino, sersem sersem başını salladı; konuşan, Juana oldu. "Unutmayacağız Peder. Hemen evlenmek istiyoruz. Kino da öyle dedi." Doğrulanmak üzere komşulara baktı, onlar da onaylarcasına salladılar başlarını.

"Aklınıza ilk elde böyle iyi düşünceler gelmesi çok güzel. Tanrı sizi kutsasın yavrularım," dedi rahip. Döndü, usulca odadan çıktı, kalabalık ona yol verdi.

Kino avucuyla inciyi sıkı sıkı örtmüştü, çevresini kuşkuyla süzüyordu, çünkü uğursuz ezgi yine kulaklarında uğuldamaya başlamıştı, incinin türküsünü bastırmaya çalışıyordu.

Komşular evlerine gitmek üzere teker teker savuştular. Juana da ateşin başına çömeldi, haşlanmış fasulye dolu çömleği ateşin üstüne koydu. Kino, kapıya yürüdü, dışarı baktı. Her zamanki gibi bir sürü ateşin kokusunu alıyor, titrek yıldızları görebiliyordu, gecenin nemini içine çekmemek için burnunu örttü. Sıska köpek yanına yanaştı, yelin savurduğu bir bayrak gibi dizlerine sürtündü, Kino ona baktı ama görmedi bile. Ufukları parçalayınca soğuk, yapayalnız bir yöreye adım atmıştı. Tek başına, korunmasız olduğunu duyuyordu, vızıldayan cırcır böcekleri, çığlıklar atan ağaç kurbağaları, kara kurbağaları uğursuzluk türküsünü getiriyor gibiydiler. Kino titredi, battaniyesini burnuna çekti sıkı sıkı. İnci hâlâ elindeydi, avucundaydı, tenine sıcacık, pürüzsüz yüzeyiyle değiyordu.

Arkasında Juana'nın çörekleri yoğurduğunu, toprak tavada kızartmaya hazırlandığını duyuyordu. Kino, ailesinin bütün sıcaklığını ve güvenliğini hissediyordu arkasında, Ailenin Türküsü bir kedi mırıltısı gibi yükseliyordu. O ana kadar neler yapacağını söylemekle kendi geleceğini çizmişti. Tasarlamak gerçek bir şeydir; açığa vurulmuş düşler, denenmiş demektir. Bir hayal bir kere düşünülmeye görsün, öbür gerçeklerin arasındaki yerini alır ve bir daha asla yıkılmaz ama kolaylıkla saldırıya uğrayabilir. İşte Kino'nun geleceği de böyle gerçekti ama kurulduğu sırada başka güçler onu yıkmak üzere biçimleniyorlardı, bunu biliyordu Kino, saldırıya karşı hazırlanmak zorundaydı. Kino'nun bir bildiği daha vardı, tanrıların insanların yaptığı planları sevmedikleri; tanrılar, rastlantıya bağlı olmayan başarıdan da pek hoşlanmazlardı. Kino, tanrıların kendi çabaları sonucu başarıya ulaşan kişiden er geç öç alacaklarını da biliyordu. Sonuçta, Kino planlarından korkuyordu elbet, ama tasarladığına göre artık onu bozamazdı. Saldırıyı karşılama adına kendine bir zırh örmeye başlamıştı bile dünyaya karşı. Gözleriyle kafası, gelebilecek her türlü tehlikeye açıktı.

Eşikte dururken, iki adamın yaklaştığını gördü; biri, bastıkları yeri ve bacaklarını aydınlatan bir fener taşıyordu. Kino'nun çitinden geçip kapısına vardılar. Biri doktordu, öteki de sabah onlara kapıyı açan uşak. Kim olduklarını anlayınca Kino'nun yüzülmüş parmakları için için sızladı.

"Siz geldiğinizde yerimde yoktum bu sabah," dedi doktor. "Elime geçen ilk fırsatta bebeği yoklamaya geldim."

Kino, kapıda duruyor, yolu tıkıyordu, gözlerinin derinliklerinde kin parıltıları vardı, ama korku da vardı, yüzyıllardır süren boyun eğiş, derin izler bırakmıştı yüreğinde.

"Bebek iyileşti sayılır," diye kestirip attı.

Doktor gülümsedi, oysa lenf bezleriyle çevrili gözleri hiç mi hiç gülmüyordu.

"Bazen dostum," dedi, "akrep ısırması beklenmedik bir etki yapar. Hastanın iyileştiğini sanırsınız, sonra durup dururken pat!" Dudaklarını büzdü, olayın ne kadar çabuk olabileceğini anlatmak amacıyla bir patlama sesi çıkardı, kara çantasını şöyle bir sallayarak fenerin ışığına tuttu, Kino'nun ırkından gelenlerin her zanaatın kendine özgü gereçlerine bayıldıklarını, sonsuz güven duyduklarını bilirdi. "Bazen," diye sürdürdü kaygan bir sesle, "bazen da büzüşmüş bir bacak, kör bir göz, kambur bir sırt ortaya çıkar sonuçta. Ah dostum, akrep sokması nedir bilirim ben, iyileştiririm de."

Kino, içindeki öfkeyle kinin eridiğini, yerini korkuya bıraktığını duydu. Kendisi kesinlikle bilmiyordu ama bu doktor belki de biliyordu işin aslını. Ve kendi kesin bilgisizliğini bu adamın belki de işe yarayacak bilgisiyle aynı kefeye koymayı göze alamazdı. Halkının her zaman düştüğü tuzağa o da düşmüştü, demin kendi ağzıyla söylediği gibi kitapta yazılı oldukları söylenenlerin kitaplarda gerçekten olup olmadığını anlayana kadar da düşeceklerdi bu tür tuzaklara. Böyle bir kumarı göze alamazdı, Coyotito'nun yaşamını, sağlığını ortaya süremezdi. Yana çekildi, saz kulübeye giren doktorla uşağa yol verdi.

Juana fırladı yerinden, doktorun karşısında saygıyla geriledi, bebeğin yüzünü yeldirmesinin ucuyla örttü. Doktor yanına yaklaşıp elini uzatınca, sıkı sıkı sarıldı bebeğine, ateşin başında duran, yüzünde alevden gölgeler oynaşan Kino'ya baktı.

Kino başını salladı, Juana, ancak o zaman doktorun bebeği almasına ses çıkarmadı.

"Işığı tutun," dedi doktor; uşak feneri kaldırdı, doktor, bebeğin omzundaki yaraya bir göz attı. Bir an düşüncelere daldı, sonra bebeğin göz kapağını geriye itti, gözbebeğini inceledi. Coyotito kollarında çırpınırken başını ağır ağır salladı.

"Düşündüğüm gibi," dedi. "Zehir içine işlemiş, yakında ortaya çıkacak. Gel bak!" Göz kapağını bıraktı. "Bak morarmış bile." Kino, kaygıyla baktı bebeğe, evet azıcık morarmıştı gözü. Ama her zaman böyle biraz mor muydu yoksa? Tuzak kurulmuştu bir kere. Kumarı göze alamazdı.

Doktorun gözleri torbalarında sulandı. "Zehiri dışarı atacak bir şey vereceğim ona," dedi. Bebeği Kino'ya uzattı. Çantasından bir şişe beyaz tozla jelatin kaplı bir kapsül çıkardı. Kapsülü tozla doldurdu, kapadı, üstüne ikinci bir kapsül geçirerek ikisinin ağzını da sıkıca kapadı. Çalışırken, büyük ustalık gösteriyordu. Bebeği kucağına aldı, bebek dudaklarını aralayana kadar alt dudağını çimdikledi. Şişman parmaklarıyla kapsülü bebeğin dilinin üstüne, ta gerilere yerleştirdi, tüküremeyeceği bir noktaya, sonra yerden pulk testisini alıp Coyotito'nun ağzına bir yudum damlattı. Tamamdı işte. Yeniden inceledi bebeğin gözlerini, dudaklarını büzdü. Düşünceli görünüyordu.

Bebeği Juana'ya uzattıktan sonra Kino'ya döndü. "Sanırım zehir bir saate kalmadan etkisini gösterecek," dedi. "İlaç bebeği kurtarabilir ama ben yine de bir saat sonra uğrarım. Belki bebeği kurtarmak için tam zamanında yetişmişimdir." Derin bir soluk alarak kulübeden çıktı, uşağı elinde fenerle onu izledi.

Juana bebeği yeldirmeye sarmıştı, korkuyla, kaygıyla inceliyordu. Kino karısının yanına geldi, yeldirmeyi sıyırarak bebeğe baktı. Gözkapağını aralamak için elini uzattığında, incinin hâlâ avucunda olduğunu farketti. Dibindeki sandıktan bir paçavra parçası çıkardı, inciyi paçavraya sardı, saz kulübenin bir köşesine giderek toprağı eşeledi, inciyi oyuğa yerleştirdi, üstünü iyice örttü toprakla. Sonra Juana'nın bağdaş kurup bebeğini incelediği ocağın başına yürüdü.

Evine dönen doktor, koltuğuna kurulmuş, saate bakıyordu. Uşakları sıcak çikolata, tatlı çörek ve meyveden oluşan hafif bir akşam yemeği getirmişlerdi; hoşnutsuzluğunu açığa vuran bakışlarla yemeği süzüyordu doktor. Komşu evlerde, uzun bir süre bütün konuşmaların odağı olacak konu ilk kez alevlenmişti; ne olacaktı acaba? Komşular başparmaklarıyla halkalar çizip birbirlerine incinin ne kadar iri olduğunu gösteriyor, tatlı okşayışlarla ne güzel olduğunu anlatıyorlardı. O günden sonra Kino ile Juana'yı çok yakından izleyecek, zenginliğin herkesin başını döndürdüğü gibi, onların da başını döndürüp döndürmeyeceğini göreceklerdi. Doktorun geliş nedenini herkes biliyordu. Düzenbazlığını saklamakta becerikli sayılmazdı, herkes içini okumuştu.

Koyun açıklarında içiçe girmiş bir küçük balık sürüsü ışıltılar saçarak suları yardı, üstüne atılan büyük balık sürüsünden kaçmaya çabaladı. İnsanlar, evlerinde küçük balıkların hışırtılı kaçışını, büyüklerin büyük fışkırtılarla suya dalarak küçüklere yüklenişini, sürüp giden kıyımı duydular. Körfez'den yükselen nem, sazlara, kaktüslere, küçük ağaçlara toz damlalarıyla çökeldi. Gece fareleri toprakta sürünmeye başladılar, küçük gece şahinleri çıt çıkarmadan avladılar onları.

Cılız kara köpek, gözlerinden alevler saçarak Kino'nun kapısına geldi, içeri baktı. Kino'nun o yana baktığını görünce kıçını delice salladı ve Kino başını başka yöne çevirince, durdu. Eve girmedi yine de. Kino'nun toprak çanaktaki fasulyeyi yiyişini, mısır çöreğiyle tabağını sıyırışını, sonra çöreğini yiyip bir yudum pulkla boğazını temizleyişini çılgın bir ilgiyle izledi.

Kino tam yemeğini bitirmiş, bir sigara sarmaya koyulmuştu ki Juana sert bir sesle, "Kino," dedi. Kino, karısına baktı, hemen yanına koştu, gözlerinde korku okumuştu çünkü. Yanı başında ayakta durdu. Bebeğe baktı ama ışık çok zayıftı. Yerdeki çalı çırpıyı tekmeleyerek ateşe attı, ateşi harlatmaya çalıştı, o zaman Coyotito'nun yüzünü görebildi. Bebeğin yüzü kıpkırmızıydı, yutkunup duruyordu, dudaklarından koyu bir salya sızıyordu. Mide kasları kasılmaya başlamıştı, çok hastaydı.

Kino, karısının yanına diz çöktü. "Demek anladı doktor," dedi, bu sözleri yalnızca karısını değil, kendisini de inandırmak için söylemişti, aklı karışmıştı, kuşkular içindeydi, hele aklına o beyaz toz geldikçe. Juana iki yana sallanıyor, kötülüğü kovsun diye acılı bir sesle Ailenin Türküsünü söylüyordu, bu arada bebek kusuyor, çırpınıyordu kollarında. Kino kuşkular içindeydi, uğursuzluğun ezgisi kafasında uğulduyor, Juana'nın türküsünü bile neredeyse işitilmez kılıyordu.

Doktor, sıcak çikolatasını bitirdi, tatlı çöreklerin kırıntılarını da süpürdü. Parmaklarını bir peçeteye sildi, saatine baktı, kalktı, küçük çantasına uzandı.

Bebeğin hastalığı haberi saz kulübelere hızla yayıldı, çünkü yoksul kişilerin baş düşmanı açlıksa, ikincisi hastalıktır. Bazıları yavaşça, "Yaa" dediler, "şans gelirken uğursuzluk da getiriyor bakın." Başlarını salladılar sonra. Kino'nun evine gitmek üzere yola koyuldular. Komşular, yüzlerini örtüp karanlıkta itişe kakışa Kino'nun evine vardılar yine. Durup baktılar, böyle üzücü bir olayın bu mutlu günde olmasına ne kadar üzüldüklerini belirttiler. İhtiyar kadınlar Juana'nın yanına çömeldiler, ellerinden gelebildiğince yardım edeceklerdi ona, bir şey gelmezse de onu avutacaklardı.

O sırada doktor, ardında uşağıyla içeri girdi. Tavuk kışkışlarcasına dağıttı ihtiyar kadınları. Bebeği kucağına alıp alnını yokladı. "Zehir etkisini göstermiş," dedi. "Ama başa çıkabilirim sanıyorum. Elimden geleni yapacağım." Su getirmelerini istedi, bardağa üç damla amonyak damlattı, bebeğin dudaklarını aralayarak suyu içirdi. Bebek, suyu püskürdü, sızlanmaya başladı; Juana, korku dolu gözlerle bakıyordu ona. Doktor, bu arada birkaç söz de söyledi. "İyi ki akrep zehirini tanırım, yoksa..." Yoksa ne olabileceğini anlatmak için omuz silkti.

Ne var ki Kino'nun kuşkusu dağılmamıştı, gözlerini doktorun açık kalan çantasından, çantanın içindeki beyaz toz şişesinden bir türlü ayıramıyordu. Neden sonra kasılmalar azaldı, bebek, doktorun bakımıyla bir gevşekliğe girdi. Sonra derin derin içini çekti zavallı, uykuya daldı, kusmaktan öylesine bitkin düşmüştü ki.

Doktor bebeği Juana'nın kucağına verdi

"Artık iyileşir," dedi. "Savaşı ben kazandım." Juana büyük bir hayranlıkla bakıyordu doktora.

Doktor, çantasını kapatmak üzereydi. "Acaba faturayı ne zaman ödeyebilirsiniz?" dedi. Sesi tatlı bile sayılabilirdi.

"İncimi sattığımda borcumu ödeyeceğim," dedi Kino.

"Bir incin var demek! İyi cins mi bari?" diye sordu doktor ilgiyle.

Komşular korosu hemen söze karıştı. "Dünyanın Biricik incisini buldu o," diye haykırdılar, incinin iriliğini göstermek amacıyla başparmaklarıyla işaret parmaklarını birleştirip geniş bir halka çizdiler.

"Kino zengin olacak," diye bağırdılar. "Hiç kimsenin eşini görmediği bir inci bu."

Doktor, şaşırmış görünüyordu. "Benim kulağıma çalınmamış demek. Peki bu inciyi güvenli bir yerde saklıyor musun? Belki de benim kasamda saklamamı isterdin, ha?" Kino'nun gözleri kısılmıştı, yanakları gerilmişti iyice. "Sağlam yerdedir," dedi. "Yarın onu satar, paranızı öderim."

Doktor omuz silkti ama ıslak bakışlarını Kino'nun gözlerinden ayıramadı. İncinin evde gömülü olduğunu biliyordu, Kino'nun bir ara o gizli bölgeye bakacağını düşünüyordu.

"Onu satamadan çaldırırsan yazık olur doğrusu," dedi doktor ve o anda, Kino'nun gözlerinin kendiliğinden saz kulübedeki direğin dibine çevrildiğini ayırt etti.

Doktor gittikten, komşular da isteksizce evlerine döndükten sonra Kino, ateş çukurundaki küçük közlerin başına çöktü, gecenin sesine kulak verdi, kıyıya vuran küçük dalgaların yumuşak hışırtısı, uzaktaki köpek ulumaları, saz kulübenin damından geçen rüzgâr, kasabadaki komşularının evlerinde sürdürdüğü yumuşacık konuşmalar. Bu insanlar geceleri deliksiz uyumazlar; belli aralarla uyanır, biraz laflar, sonra yine uykuya dalarlar. Kino da kalktı, biraz sonra, evin kapısına yürüdü.

Rüzgârın kokusunu içine çekti, gizlilik, sinsilik belirtisi getiren yabancı seslere kulak verdi, gözleriyle karanlığı taradı, çünkü uğursuzluğun ezgisi gümbürdüyordu kafasında; yırtıcılaşmıştı, korkmuştu. Duyularıyla geceyi iyice yokladıktan sonra incinin gömülü durduğu direğe yürüdü, inciyi çıkardı oyuktan, hasırın üstüne koydu, altındaki toprağı kazdı, incisini oraya gömerek üstünü örttü.

Ateşin başında oturan Juana, soru dolu bakışlarla gözlüyordu, incinin gömülme işlemi bittikten sonra sordu, "Kimden korkuyorsun?"

Kino, doğru bir yanıt aradı, sonunda, "Herkesten," dedi. "Herkesten." Bir katılık zırhının gövdesini kapladığını duyuyordu.

Biraz sonra birlikte şiltede yatıyorlardı, Juana o gece bebeği beşiğe yatırmamıştı; kollarının arasındaydı bebek, başı da yeldirmeyle örtülüydü. Ocaktaki son közlerdeki ışık kırıntıları da silinip gitti.

Gelgelelim Kino'nun beyni uyku sırasında da yanıyordu. Coyotito'nun okumayı söktüğünü düşledi, içlerinden birinin gerçeği ona açıklayabildiğini. Düşünde Coyotito, ev büyüklüğünde bir kitaptan, azgın köpek büyüklüğünde harfleri okuyor, sözcükler dörtnala oynuyorlardı kitapta. Sonra sayfayı bir karanlık kapladı ve karanlıkla bir likte uğursuzluğun ezgisi yükseldi yine. Kino kıpırdadı uykusunda, o kıpırdayınca Juana da gözlerini karanlığa açtı. Uyandı Kino, uğursuz ezgi gövdesinde zonkluyordu, karanlıkta, kulakları tetikte bekledi.

Neden sonra evin öte yanından bir ses geldi. Öyle yumuşak bir sesti ki, bir düşünceydi belki de, sinsi bir kıpırdanma, bir ayağın toprağa şöyle bir basıp geçişi, tutulan bir soluğun nerdeyse duyulamayacak hırıltısı. Kino soluğunu tutup kulak verdi, biliyordu ki evin içindeki o karanlık nesne de kulak kesilmişti, soluğunu tutmuştu. Bir süre saz kulübenin öte ucundan hiç ses gelmedi. Nerdeyse Kino, bu gürültüyü kendi kuruntusu sanacaktı. Tam o sırada Juana'nın eli göğsünü yokladı uyarırcasına ve işte yine o ses! Çorak toprağa basan bir ayağın fısıltısı, toprağı kazan tırnakların sesi.

Şimdi yabanıl bir korku yükselmişti Kino'nun yüreğinde, korkuya her zamanki gibi öfke baskın çıktı. Kino hemen göğsüne el attı, bıçağının sicimle bağlı durduğu yere, sonra kudurmuş bir kedi gibi fırladı, evin içinde olduğunu bildiği karanlık nesneye bıçağını savurarak, tükürükler yağdırarak koştu. Eline bir kumaş değdi, bıçağıyla vurdu, hedefi bulamamıştı, bir daha sapladı bıçağını, kumaşı yardığını anladı, birdenbire bir şimşek çaktı kafasında, acıdan çatlayacağını sandı. Eşikte telaşlı adımlar duydu, bir koşuşma, sonra sessizlik.

Kino, alnından sıcak kan sızdığını duyuyordu, Juana'nın seslenişini. "Kino! Kino!" Sesi korku yüklüydü. Birdenbire, öfke hızıyla eş giden bir soğukkanlılık bastırdı. "Bir şeyim yok," dedi. "O şey gitti."

Çevreyi yoklayarak hasıra yürüdü. Juana, ateşi harlandırmaya başlamıştı. Küllerin arasından bir köz buldu, mısır koçanı kabuklarını ufaladı közün üstüne, üfledi, küçücük bir ateş kulübede dolanmaya başladı. Sonra gizli bir yerden bir kutsanmış mum getirdi Juana, ateşe tuttu, ocağın taşına dikti mumu. Çabuk çalışıyor, çalışırken bir türkü mırıldanıyordu. Yeldirmesinin ucunu suya batırdı, Kino'nun yaralı alnındaki kanı sildi, "Önemli şey değil," dedi Kino, ama gözleri ve sesi sertti, buz gibiydi. İçinde köklü bir nefret dal budak sarıyordu.

O anda, Juana'nın yüreğinde serpilen gerginlik fokurdayarak yüzeye çıktı, dudakları gerildi. "Uğursuz bir şey bu," dedi sertçe. "Günah gibi bir şey bu inci! Bizi yok edecek." Sesi bir çığlığa dönüşmüştü. "At şunu Kino. Gel taşların arasında ufalayalım onu. Gömelim, gömdüğümüz yeri de unutalım. Gel gerisin geri denize atalım onu. Bize uğursuzluk getirdi Kino, bizi yok edecek kocacığım." Ateşin ışığında dudaklarıyla gözleri korkuyla yanıyordu. Ne var ki, Kino'nun yüzü de kararlıydı; kafası da, istenci de kararlıydı. "Bu bizim tek şansımız," dedi. "Oğlumuzun okula gitmesi gerek. Bizi içine gömülü tutan çanağı kırıp çıkmalı o."

"Ama inci hepimizi yok edecek," diye haykırdı Juana. "Oğlumuzu bile."

"Sus," dedi Kino. "Konuşma artık. Sabah olsun, inciyi satarız, o zaman uğursuzluk da gider, geriye iyilik kalır. Hadi sus artık karıcığım." Kaşlarını çatıp ateşe baktı, o anda bıçağını hâlâ elinde tuttuğunu ayırt etti, bıçağın ağzına baktı, çelikte ince bir kan şeridi gördü. Bir an kanı pantolonuna silmeyi düşündü sanki, sonra bıçağı toprağa sapladı, toprakta temizledi.

Uzaktaki horozlar ötmeye başladılar, hava değişti, tan ağarıyordu. Sabah rüzgârı koyun suyunu dalgalandırdı, manrovların arasından esti, küçük dalgalar, gittikçe artan bir hızla moloz yüklü kumsala vurdular. Kino, hasırı dürdü, incisini kazıp çıkardı, önüne koyup gözlemeye başladı.

İncinin güzelliği, küçük mumun ışığında göz kırpan, titreşen güzelliği, beynine işledi, gözünü bağladı, öyle güzeldi ki, öyle yumuşaktı ki, kendi ezgisini yükseltiyordu, umut ve neşe dolu bir ezgi, geleceği, esenliği, güvenliği sağlayan bir ezgi. Ilık saydamlığıyla, bütün sayrılıklara karşı şifa, bütün aşağılamalara karşı bir duvar oluşturuyordu. Açlığın yüzüne bir kapı çarpıyordu. Ona bakarken Kino'nun gözleri yumuşadı, yüzü gevşedi. İncinin yumuşak yüzeyinde, kutsanmış mumun küçük bir imgesinin yansıdığını görüyordu, yine o güzel denizaltı ezgisini, deniz diplerinin yaygın yeşil ışığını duydu. Ona gizliden bir göz atan Juana, gülümsediğini gördü. İkisi tek bir amaçla bir bütün oluşturduklarından, Juana da güldü onunla birlikte.

Ve o güne umutla başladılar.

4

Küçük bir kasabanın kendi kendiyle ve bütün birimleriyle kurduğu sıkı ilişkiyi nasıl sürdürdüğüne ne kadar şaşsak azdır. Her erkek, her kadın, her çocuk, her bebek kasabada belli bir biçimde davranır, belli edimlere girişirse, kalıpları kırmaz, öteki bireylerden farklılık göstermezse, hiçbir şekilde deneylere kalkışmaz, önemli bir hastalığa tutulmaz, kasabanın esenliğini ve iç erincini, yani o kesintisiz, şaşmaz akışını bozabilecek bir şey yapmazsa, o birim görünmez olabilir, bir daha da adı bile duyulmaz. Ama tek bir kişi, alışılageldik düşünce kalıbının, bilinen ve güvenilen biçimin dışına çıkmaya görsün, kasaba halkının duyargaları hemen geriliverir, bu haber kasabanın sinir ağı aracılığıyla her yana yayılır. Her birim, bütünle iletişim kurar.

İşte La Paz'da daha sabahın ilk saatlerinde, Kino'nun incisini o gün satacağı haberi bütün kasabaya yayılmıştı. Saz kulübelerdeki komşular da biliyorlardı, inci avcıları da; Çinli bakkallar da biliyorlardı, kilise de biliyordu; sunaktaki oğlanlar fısıldaşıyorlardı aralarında. Rahibelerin de kulaklarına çalındı haber; kilisenin önündeki dilenciler aralarında tartışıyorlardı, çünkü bu kutlu olayın ilk yemişlerini onlar paylaşacaklardı. Küçük oğlanların heyecanına diyecek yoktu, yine de konuyu en iyi bilenler inci alıcılarıydı. Gün ağardığında, inci alıcıları yazıhanelerindeydiler, her biri küçük, kadife tepsinin başına çökmüştü, her biri incilerini parmak uçlarında döndürüyor, kendisinin olaya nasıl bir katkıda bulunacağını tartıyordu.

İnci alıcılarının kararlarını tek başına verdikleri, avcıların getirdiği incileri almada birbirleriyle yarıştıkları sanılırdı. Bir zamanlar gerçekten öyleydi de. Ama bu yöntemin büyük savurganlığa yol açtığı anlaşılmıştı, çünkü iyi bir inciye el koyma heyecanı içinde sık sık avcılara olağandışı paralar ödendiği olmuştu. Gereksiz bir harcamaydı bu, önlemek gerekirdi. İşte şimdi bir tek alıcı vardı, çok kollu bir alıcı ve yazıhanelerinde oturup Kino'yu bekleyen bütün alıcılar kaç para önereceklerini, ne kadar yükseleceklerini, hangi yöntemi kullanacaklarını önceden öğrenmişlerdi. Onların bu alışverişten belli bir ücretin ötesinde bir kazançları olmayacaktı, yine de heyecanlıydılar, çünkü av heyecan demektir; hele kişinin işi fiyat kırmaksa, o zaman fiyatı sonuna kadar kırmaktan büyük bir sevinç ve doyum alacaktır. Dünyada her kişi yetisini sonuna kadar zorlar, hiç kimse elinden geldiğinden azıyla yetinmez, düşüncesi ne olursa olsun. Kazanabilecekleri herhangi bir ödülden, alabilecekleri bir övgüden ya da işinde yükselmekten bağımsız, bir inci alıcısı, bir inci alıcısıydı sonuçta ve en iyi, en mutlu inci alıcısı da en düşük parayla inciyi kapatabilendi.

Güneş sarı sıcaktı o sabah, koydan, Körfez'den nemi emip bitirmişti, havada ışıltılı şeritler dolanıyordu. O yüzden hava titreşiyordu, görüş açısı bulanıktı. Kentin kuzeyine doğru bir görüntü asılıydı – üç yüz kilometre kadar ötedeki bir dağın görüntüsü; dağın ulu yamaçları çamlarla sarmalanmıştı, orman sınırının üstünde ise kocaman bir taş doruk yükseliyordu.

Bu sabah, kayıklar da kumsala dizilmişlerdi; balıkçılar inci avına çıkmadılar, bir sürü olay vardı gündemde, Kino dev incisini satmaya gittiğinde kim bilir neler olacaktı?

Kumsaldaki saz kulübelerde Kino'nun komşuları kahvaltıyı uzatıyor, inciyi onlar bulsalar neler yapacaklarını konuşuyorlardı. Biri, incisini Roma'daki Kutsal Peder'e armağan edeceğini söyledi. Bir başkası, parayı alır almaz La Paz'daki yoksullara dağıtacağını söyledi, dördüncüsü ise inciden alınan parayla yapılabilecek bütün iyilikleri düşündü; insanın eline para geçse, yapabileceği bütün bağışları, kurtarabileceği insanları. Komşuların hepsi bu beklenmedik zenginliğin Kino'nun başını döndürmeyeceğini, ona bir zengin tafrası vermeyeceğini, açgözlülüğün, kinin ve soğukluğun amansız kıskaçlarının gövdesini kuşatmayacağını umdular. Kino sevilen bir adamdı çünkü, inci onu bozarsa yazık olurdu. "O iyi yürekli kadın Juana, o güzelim bebek Coyotito," dediler, "sonra yeni doğacak bebekler. İnci onları bozarsa, yazık olur."

Kino ile Juana için bu sabah, yaşamlarının en önemli sabahıydı, ancak bebeğin doğduğu sabahla kıyaslanabilirdi. Bütün öbür günleri bir düzene sokan, belirleyici bir gündü bu. Bundan böyle, "İnciyi sattığımızdan iki yıl önce," diyeceklerdi. "İnciyi sattıktan altı hafta sonra," diyeceklerdi. Juana bunları düşündü, rüzgârlardan uğur diledi, Coyotito'ya vaftizlik giysilerini giydirdi, nicedir, ellerine biraz para geçince onu vaftiz ettirmeyi kurmuşlardı. Juana saçını tarayıp ördü, örgülerin ucuna iki kırmızı kurdele taktı, düğününde giydiği eteklikle bluzunu giydi. Kino'nun eski püskü beyaz giysileri temizdi hiç değilse, bugün eski püskülerin sonu geliyordu işte. Yarın, belki de bu öğleden sonra, yeni giysiler alacaktı.

Saz kulübelerinin duvarlarındaki oyuklardan Kino'yu gözleyen komşular da giyindiler, hazırlandılar. Kino ile Juana'nın ardına düşüp onlarla birlikte inciyi satmaya gitmek istemelerinde kişisel bir çıkarları yoktu. Ama beklenen bir olaydı bu, tarihsel bir andı, gitmezlerse çıldırırlardı meraktan. Bir düşmanlık belirtisi bile sayılabilirdi gitmemeleri.

Juana, yeldirmesine özenle sarındı, uzun ucu sağ dirseğinin altından geçirdi, sağ eliyle çekti, bir beşik oluşturdu sağ kolunun altında, küçük beşiğe Coyotito'yu yerleştirdi, başının altına yeldirmeden bir yastık yaptı ki her şeyi görebilsin, belki ilerde anımsar bunları. Kino, büyük hasır şapkasını taktı, eliyle bir yokladı, düzgün takmış mıydı acaba, öyle serseri, sorumsuz, bekâr bir delikanlınınki gibi geriye ya da yana kaykılmamalıydı şapka, ihtiyar adamlarınki gibi basık da durmamalıydı, saldırganlık, ciddilik ve dinçlik habercisi olarak azıcık öne doğru eğilmeliydi. Bir şapkanın duruş biçiminden, giyen adam konusunda bir sürü şey öğrenilebilir. Kino, sandallarını geçirdi ayağına, kayışları yukarı çekti. Dev inci, yumuşacık bir geyik derisine sarılmış, küçük bir deri çantaya konmuştu; deri çanta, Kino'nun gömleğinin cebindeydi.

Battaniyesini özenle katladı, dar bir atkı yapıp sol omzuna astı; artık hazırdılar.

Kino saygın bir tavırla çıktı kulübeden, Juana, kucağında Coyotito, onun ardından yürüdü. Onlar gelgitle yıkanmış yollar boyunca kasabaya doğru ilerlerken, komşular da peşlerine takıldılar. Evler insan püskürüyor, eşikler çocuk kusuyordu durmaksızın. Durumun öneminden ötürü Kino'nun yanı başında bir tek kişi yürüyebiliyordu, ağabeyi Juan Tomas.

Juan Tomas onun kulağını büktü. "Dikkat et de seni aldatmaya kalkışmasınlar," dedi.

"Hem de çok dikkatli olmalıyım," diye onayladı Kino.

"Başka yörelerde ne ödendiğini bilmiyoruz," dedi Juan Tomas. "Başka bir yöredeki inci alıcısının ne ödediğini bilmiyorsak fiyatın insaflı olup olmadığını nereden anlayabiliriz?"

"Haklısın," dedi Kino, "ama nereden bilelim? Biz buradayız, orada değiliz ki."

Onlar kente doğru yürüyedursunlar, arkalarındaki kalabalık gittikçe artıyordu, Juan Tomas hırslı bir sesle konuşmasını sürdürüyordu.

"Sen daha doğmadan Kino," dedi, "ihtiyarlar, incilerinden daha fazla para kazanmanın bir yolunu bulmuşlardı. Bir simsar tutmayı düşünmüşlerdi, adam bütün incileri başkente götürüp satsa, kârdan da belli bir yüzde alsa, çok daha iyi olur demişlerdi."

Kino başını salladı. "Biliyorum," dedi, "iyi düşünmüşler."

"Böyle bir adam da buldular," dedi Juan Tomas, "incilerini ortaklaşa ortaya döktüler, adamı kente yolladılar. Bir daha da ne adamdan ses çıktı, ne de incilerden. Başka bir simsar buldular, onu da yolladılar kente, ondan da ses çıkmadı. Böylece bu düşünceden hepten vazgeçmek zorunda kaldılar, eski yönteme döndüler."

"Biliyorum," dedi Kino. "Peder anlatmıştı. İyi bir fikirmiş ama dine aykırıymış. Peder iyice üstüne basmıştı. İncinin yitip gidişi, kendi değerlerinin kıymetini bilmeyenlere verilen bir cezaymış. Peder ayrıca her erkeğin ve her kadının Evrenin kalesinin bir bölümünü korumak amacıyla Tanrı tarafından yeryüzüne gönderilmiş bir askere benzediğini belirtmişti. Kimileri siperlerdeymiş, kimileri surların karanlıklarına gömülüymüş ama her birinin nöbet yerinden ayrılmaması, oraya buraya koşuşturmaması gerekirmiş, yoksa Cehennem'den gelen saldırılara karşı kale savunmasız kalabilirmiş."

"Ben de o vaazı duydum," dedi Juan Tomas. "Her yıl yineler."

İki kardeş, yürüyüş sırasında gözlerini kısmışlardı, tıpkı dört yüz yıl süreyle dedelerinin, atalarının yaptığı gibi: ilk yabancıların tatlı dille, yetkeyle ve tatlı dille yetkeyi destekleyen barutla çıkıp geldiği tarihten bu yana. Bu dört yüz yıl boyunca Kino'nun halkı bir tek savunma yöntemi öğrenmişti: Gözleri kısmak, dudakları büzmek ve içe kapanma. Bu duvarı kimsecikler yıkamazdı, duvarın içinde bütün olarak kalabilirlerdi.

Toplanan kalabalık çok ciddiydi, bu günün önemini kavramıştı herkes; itişmeye, bağrışıp çağrışmaya, şapka çalıp saç karıştırmaya yeltenen çocuklar, büyüklerince hemen susturuluyorlardı, öylesine önemli bir gündü ki bu, bir ihtiyar, yeğeninin sağlam sırtında gelmişti töreni izlemeye. Kalabalık, saz kulübeleri geride bırakarak taş ve kerpiç kentine girdi, sokaklar biraz daha genişti burada, yapıların önünde dar kaldırımlar uzanıyordu. Tıpkı daha önce olduğu gibi, kilisenin önünde dilenciler karıştı kalabalığa; bakkallar önlerinden geçen kalabalığa baktılar; küçük barlar müşterilerinden oldular, bar sahipleri hemen kepenkleri indirerek sokağa fırladılar. Güneş olanca sıcağıyla kentin sokaklarını kavuruyordu, küçücük taşların bile gölgeleri seçilebiliyordu.

Kalabalığın yaklaştığı haberi kente önceden ulaştı. Küçük, izbe yazıhanelerinde inci alıcıları dikeldiler, dikkat kesildiler. Kino geldiğinde çalışıyor görünmek için evrak incelemeye başladılar, incilerini de hemen gizli gözlere kaldırdılar, çünkü bir güzeller güzelinin yanında ortalama bir güzel sergilemek akıllıca bir iş değildi. Kino'nun incisinin güzelliğiyse çoktan kulaklarına çalınmıştı. İnci alıcılarının yazıhaneleri dar bir sokakta sıralanmıştı, pencereler parmaklıklıydı, tahta panjurlar ışığı kesiyordu, yalnızca loş bir aydınlık vuruyordu içeri.

Yazıhanelerden birinde iri yarı bir adam, oturmuş, bekliyordu. Yüzü babacandı, iyilikseverdi, gözleri dostça parlıyordu. Herkese günaydınlar yağdıran, el sıkmayı hiç aksatmayan, bütün fıkraları bilmesine karşın sık sık hüzün denizlerine dalabilen bir adamdı bu. Çünkü tam bir kahkaha attığı sırada, halanızın ölümünü anımsayabiliyor, sizin acınız adına gözleri doluveriyordu. Bu sabah, masasındaki vazoya bir çiçek, kızıl bir amber dalı yerleştirmişti, vazo da, önündeki kadife kaplı inci tepsisinin yanındaydı. Sinekkaydı tıraş olduğundan sakal diplerinin mavi noktaları görünüyordu; elleri tertemiz, tırnakları cilalıydı. Kapısı güne açıktı, bir yandan el çabukluğu hünerleri gösterirken, bir yandan şarkılar mırıldanıyordu. Demir bir parayı parmaklarında dolaştırdıktan sonra, bir gösterip bir yok ediyor, çevirip yine parıldatıyordu ışıkta. Para bir görünüyor, görünür görünmez yitiyordu, adamcağız kendi gösterisini izlemiyordu bile. O kendi kendine şarkılar mırıldanıp kapıdan dışarı bakarken, parmakları makineleşmişçesine, kusursuz bir düzenle gösteriyi sürdürüyorlardı. O sırada yaklaşan kalabalığın ayak seslerini duydu, sağ elinin parmakları gittikçe hızlı çalışmaya başladı, para gittikçe daha hızlı aralıklarla parlayıp yok oldu, ta ki Kino eşikte belirene kadar.

"Günaydın dostum," dedi iri yarı adam. "Sizin için ne yapabilirim?"

Kino, küçük yazıhanenin loşluğuna baktı, dışardaki kızgın güneşten gözleri iyice kısılmıştı. Gelgelelim alıcının gözleri şahin gözleri gibi şaşmaz, yırtıcı ve kıpırtısız oluvermişti birden, yüzünün geri kalan bölümüyle hoş geldiniz gülümseyişini sürdürüyordu. Gizlice, masanın berisinde demir parayla oyununu sürdürüyordu.

"Bir incim var da," dedi Kino. Juan Tomas, kardeşinin yanında duruyordu, incinin hakkını yiyen bu tümceden hiç hoşnut kalmamıştı. Komşular eşikte durmuş, çevreyi gözlüyorlardı, küçük oğlanlardan bir küme, pencerelerdeki parmaklıklara tırmanmış aradan bakıyorlardı. Çocuklardan birçoğu da dört ayak üstünde olayı Kino'nun bacaklarına dolanıp izliyorlardı.

"Demek bir incin var," dedi adam. "Bazen bir adamın bir düzine inci getirdiği olur. Peki, görelim bakalım incini. Değerlendirelim, en iyi fiyatı verelim." Parmaklarında delice döndürüyordu demir parayı.

Kino, içgüdüsel olarak, kendi etkileme alanını bilirdi. Meşin çantayı yavaş yavaş çıkardı, içindeki yumuşak, kirli geyik derisini de yavaşça çıkardı, sonra dev inciyi kara kadife kaplı tepsiye yuvarladı ve gözlerini aynı anda alıcının gözlerine dikti. Ne var ki hiçbir belirti yoktu, hiçbir kıpırtı, yüz değişmedi, oysa masanın arkasına gizlenen el, şaşmazlığını yitirmişti. Demir para, bir parmağın boğumuna takılarak sessizce alıcının kucağına düştü. Masanın arkasında kalan parmaklar sıkılıp bir yumruk oldu. Sağ el ortaya çıktığında, işaret parmağıyla dev inciye dokundu, kara kadifenin üstünde yuvarladı inciyi; baş parmakla işaret parmağı inciyi kavrayıp alıcının gözlerine tuttu, havada dolaştırdı.

Kino, soluğunu tutuyordu, komşular da soluklarını tuttular, fısıltılar geriye doğru dalgalandı kalabalıkta. "İnceliyor -Hayır daha fiyattan söz edilmedi- Bir fiyat vermediler."

Alıcının eli şimdi başlı başına bir kişilik kazanmıştı. El, dev inciyi tepsiye yuvarladı, işaret parmağıyla dürttü, aşağıladı inciyi; alıcının yüzüne hüzünlü, küçümser bir gülüş yerleşti.

"Üzgünüm dostum," dedi, bu terslikte kendisinin hiçbir payı olmadığını anlatmak için omuzlarını hafifçe kaldırdı.

"Çok değerli bir incidir bu," dedi Kino.

Alıcının parmakları inciyi öylesine hoyratça iteledi ki, inci yuvarlandı, kadife kaplı tepsinin kenarına toslayıp yerine döndü.

"Şaşkının altını masalını duymuşsundur mutlaka," dedi alıcı. "Bu inci de şaşkının altınına benziyor. Çok iri. Kim alır ki bunu? Böyle şeylerin pazarı yoktur. İlginç bir nesne bu yalnızca. Üzgünüm. Sen çok değerli bir şey sanmışsın, oysa bu ilginç bir şey, o kadar."

Kino'nun yüzü yırtıcılaşmıştı. "Ama bu Dünyanın Biricik İncisi," diye haykırdı. "Kimse böyle bir inci görmemiş bugüne kadar."

"Tam tersine," dedi alıcı. "İri, hantal bir inci bu. Garip bir nesne olarak ilgi çekiyor tabii, belki de bir müze alır, deniz kabukları koleksiyonuna katar. Ben sana en fazla bin peso verebilirim."

Kino'nun yüzü karardı büsbütün. Kinle doldu. "Elli bin peso eder," dedi. "Biliyorsun ama, beni aldatmak istiyorsun sen."

Alıcı, verdiği fiyatı duyan kalabalıkta bir öfke homurtusunun dolaştığını duydu. Korkar gibi oldu birden.

"Beni suçlama," dedi telaşla. "Ben yalnız kendimce bir değer biçiyorum. Başkalarına da sor, danış. Yazıhanelerine git, incini göster ya da daha iyisi, onlar buraya gelsinler ki sen de arada bir düşünce ayrılığı olmadığını anla. "Oğlum!" diye seslendi içeri. Uşağı arka kapıda görünce de, "Oğlum, falancaya, filancaya git, bir de falan beyi ara. Buraya gelmelerini söyle ama nedenini açıklama. Onlarla görüşmek istediğimi söyle, yeter." Yine masanın berisine giden sağ eliyle cebinden bir demir para daha çıkardı, parmaklarında yuvarlamaya başladı.

Kino'nun komşuları, aralarında fısıldaşıyorlardı. İşte korktukları başlarına gelmişti galiba. İnci iriydi gerçi ama renginde bir tuhaflık vardı. Daha ilk gördüklerinde kuşkuya düşmüşlerdi. Hem, bin peso öyle yabana atılacak para değildi. Zengin olmayan bir adam için hele, düpedüz servet sayılırdı. Kino bin Pesoyu alsa diyelim, ne olurdu yani? Daha dün meteliksizin teki değil miydi? Gelgelelim Kino gerginleşmişti, kasılmıştı. Yazgının üstüne üstüne geldiğini seziyordu, kurtların çemberler çizdiğini, akbabaların yöresini kuşattığını. Uğursuzluğun çevresinde pıhtılaştığını duyuyordu ama, kendini savunmakta çaresizdi. Uğursuzluğun ezgisi kulaklarında uğulduyordu. Kara kadifenin üstünde inci ışıl ışıl yanıyordu; alıcı gözlerini ayıramıyordu ondan.

Eşikteki kalabalık dalgalandı, yarıldı, üç inci alıcısına yol verdi. Kalabalıkta çıt çıkmıyordu şimdi, herkes edilen bir sözü duyamama, anlamlı bir davranışı ya da bir dudak büküşü kaçırma telâşı içindeydi. Kino sessizdi, tetikteydi. Sırtına birinin dokunduğunu ayırt etti, dönüp baktığında Juana'nın gözleriyle karşılaştı, o zaman eski gücü yerine geldi.

Alıcılar ne inciye bakıyorlardı ne de birbirlerine. Masanın arkasındaki adam, "Ben bu inciye paha biçtim," dedi. "Gelgelelim satıcı fiyatı az buluyor. Sizden bu bu nesneyi incelemenizi ve bir öneride bulunmanızı istiyorum. Dikkat et," diyerek Kino'ya döndü. "Sana önerdiğim fiyattan onlara söz etmedim."

İlk alıcı, cılız, kara kuru bir adam, inciyi ilk kez görmüş gibiydi. Eline aldı, başparmağıyla işaret parmağı arasında çabucak yuvarladı, sonra küçümser bir tavırla tepsiye attı yine.

"Beni pazarlığa katmayın lütfen," dedi kuru bir sesle. "Ben hiçbir öneri getirmeyeceğim. İstemiyorum. Bu inci falan değil ucubenin teki." İnce dudakları büzüldü.

İkinci alıcı, utangaç, yumuşak sesli, ince yapılı bir adamdı, eline aldı inciyi, yakından inceledi. Cebinden çıkardığı büyüteçle baktı. Sonra yavaşça güldü. "İyi cins incilerin özel bir macunu vardır," dedi. "Ben bu işten anlarım. Bu yumuşak, tebeşirimsi bir şey, birkaç aya kalmaz rengini yitirir, yok olup gider. Bakın—" Büyüteci Kino'ya uzattı, nasıl kullanılacağını öğretti; o güne kadar bir incinin yüzeyini büyütülmüş olarak hiç görmeyen Kino, garip görünümlü yüzey karşısında şaşakaldı.

Üçüncü alıcı, Kino'nun elinden kaptı inciyi. "Benim müşterilerimden biri bu tür şeylere tutkundur," dedi. "Ben beş yüz peso öneriyorum, belki de müşterime altı yüz Pesoya satarım."

Kino hemen uzandı, inciyi onun elinden kaptı. Geyik derisine sardı yine, gömleğinin içine yerleştirdi.

Masanın arkasındaki adam, "Biliyorum, delilik ediyorum," dedi, "ilk önerimde diretiyorum yine de. Bin Peso öneriyorum. Ne yapıyorsun sen?" dedi inciyi ortadan kaldıran Kino'ya.

"Aldatıldım," diye haykırdı Kino öfkeyle. "İncimi burada satışa çıkarmayacağım. Gideceğim, belki de başkente gideceğim."

O anda alıcılar, kaçamak bakışlarla birbirlerini süzdüler. Fazla ileri gittiklerini biliyorlardı; bu başarısızlıklarından ötürü cezalandırılacaklardı; masanın arkasındaki alıcı, "Ben bin beş yüze yükselebilirim," dedi.

Ne var ki Kino kalabalığı yarmış, gidiyordu. Sesler, bir uğultu halinde erişiyordu kulaklarına, nabzı güm güm atıyordu. Hızla yardı kalabalığı, uzaklaştı. Juana da onun ardından seğirtti.

Akşam çöktüğünde komşular, saz kulübelerinde oturmuş, çörekleriyle fasulyelerini yerken günün unutulmaz konusunu tartışıyorlardı. Bilgisizdiler gerçi, önce onu güzel bir inci sanmışlardı ama daha önce hiç böylesini görmemişlerdi ki, alıcılar incilerin değeri konusunda onlardan çok daha bilgiliydiler kuşkusuz. "Hem unutmayın," dediler, "alıcılar hiç tartışmadılar. Üçü de incinin değersiz olduğunu ileri sürdü."

"Ama ya danışıklı dövüşse bu?"

"Öyleyse, yaşamımız süresince hepimiz aldatılmışız demektir."

Belki de, diyorlardı bazıları, Kino şu bin beş yüz pesoyu alsa daha iyi olurdu. Az para değil ki, daha önce bu kadar parayı bir arada gördü mü ki? Belki de kendini beğenmişin tekidir Kino. Ya gerçekten başkente kadar gider de yine incisine bir alıcı bulamazsa? Bu utancın altından kalkamaz o zaman.

Üstelik şimdi, diyordu daha ürkek komşular, kendilerine düpedüz meydan okuduğuna göre belki de alıcılar bir daha iş görmezler Kino'yla. Belki de Kino böyle davranmakla kendi defterini dürdü.

Ötekiler dediler ki, Kino cesur adamdır, yiğit adamdır, dürüsttür. Onun bu yürekliliğinden alınacak dersimiz var. Onlar Kino ile gurur duyuyorlardı.

Kino, evinde, hasırın üstüne çökmüş, düşüncelere dalmıştı. İncisini ateş çukurunun oraya, taşın altına gömmüştü, hasırın atkılarına çözgülerine dikti gözlerini, sonunda çapraz çizgiler beynine üşüşmeye başladılar. Bir başka dünya kazanmadan eski dünyasını yitirmişti işte. Korkuyordu Kino. Yaşamı süresince hiç evinden uzaklaşmamıştı. Yabancılardan da, yabancı yerlerden de korkardı. Başkent denilen o yabancılık canavarından ödü kopardı. O canavar, suyun ötesinde, dağların arasında, bin altı yüz kilometre ötedeydi ve her yabancı, her korkunç kilometre, kişinin içine korku salıyordu. Ama Kino eski dünyasını yitirmişti bir kere, bir yenisine tırmanması gerekiyordu. Çünkü geleceğe ilişkin düşü gerçekti, asla yok edilemezdi, hem sonra "Gideceğim" demişti bir kere, bu da gerçekti. Gitmeye kesin karar vermek ve bu kararı açığa vurmak yarı yolu aşmak demekti.

Juana, inciyi gömerken gözlemişti onu, şimdi Coyotito'nun altını temizlerken, bebeğe meme verirken de gözlüyordu, akşam yemeğinde çörek yaptı yine.

Juan Tomas geldi bir ara, Kino'nun yanına bağdaş kurdu, uzun bir süre ses etmeden bekledi, sonunda Kino sordu:

"Başka ne yapabilirdim ki? Dolandırıcı bu herifler."

Juan Tomas ağır ağır salladı başını. Ağabeydi o. Kino ondan öğüt bekliyordu. "Anlamak güç," dedi. "Ta beşikten mezara dolandırıldığımızı biliyoruz. Yine de yaşamayı sürdürüyoruz. Sen yalnızca inci alıcılarına meydan okumadın, bütün bir yapıya, bütün yaşam biçimine meydan okudun. Senin adına korkuyorum."

"Açlıktan ölmekten öte ne gibi bir korkum olabilir?" diye sordu Kino.

Juan Tomas ağır ağır başını salladı. "Açlıktan hepimiz korkarız. Ama diyelim ki haklı çıktın, diyelim ki incin gerçekten çok değerli o zaman bu oyunun biteceğini mi sanıyorsun?"

"Ne demek istiyorsun?"

"Bilemiyorum," dedi Juan Tomas, "senin adına korkuyorum, o kadar. Yeni bir toprakta yürüyorsun, yolu da bilmiyorsun."

"Gideceğim. Hemen gideceğim," dedi Kino.

"Evet," diye onayladı Juan Tomas. "Gitmen şart. Gel gör ki işlerin başkentte başka türlü yürüdüğünü sanıyorsan, bilemem. Burada dostların var, ben, ağabeyin varım. Orada, hiç kimsen olmayacak."

"Ne yapabilirim ama?" diye haykırdı Kino. "Burada yürekler derin bir öfkeyle doldu. Oğluma bir şans tanımalıyım diyorum ya, buna katlanamıyorlar aslında. Dostlarım beni nasıl olsa korurlar."

"Bu uğurda tehlikeye atılmadıkları, sıkıntı çekmedikleri sürece," dedi Juan Tomas. "Tanrı seni korusun," diyerek ayağa kalktı.

Kino da, "Tanrı seni korusun," dedi ağabeyine ama başını kaldırmadan, bu sözcüklerde tüyleri ürperten bir şey vardı.

Juan Tomas gittikten sonra Kino uzun bir süre hasırda dalgın dalgın oturmayı sürdürdü. Bir uyuşukluk çökmüştü üstüne, bozumsu bir umutsuzluk, önündeki bütün yollar tıkanmıştı sanki. Kafasında yalnızca düşmanın ezgisi uğulduyordu. Duyuları içini kavururcasına diriydi ama kafası gerilere, halkına özgü bulunmaz yetiyi yeniden kazanmaya dönüktü, evrenle bir bütünleşme içindeydi. Çöken gecenin en ufak seslerini bile duyabiliyordu, yuvalarında kuşların uykulu yakınmalarını, kedilerin canhıraş aşk çığlıklarını, kumsala vuran küçük dalgaların hışırtısını, geriye çekilişini, uzaklığın yalın tısss'ını. Alçalan sulardan geriye kalan yoğun yosun kümelerinin keskin kokusunu duyabiliyordu. Dal ateşinin yalımı hasırın üstündeki deseni, bağlanmış gözleri önünde canlandırdı birden.

Juana, kaygıyla izliyordu kocasını; onu tanırdı, şu anda en iyi yardımın susmak, onun yakınında olmak olduğunu biliyordu. Kendisi de Kötülüğün Türküsünü duymasına karşın, boğuşuyordu bu türküyle, ailenin ezgisini, ailenin güvenliği, sıcaklığı, bütünlüğü ezgisini mırıldanarak onu kovmaya çalışıyordu. Coyotito'yu kollarında tutuyor, kötülüğü atmak için türküyü ona söylüyordu, bu kara ezginin korkutuculuğuna karşı yiğitçe çıkıyordu sesi.

Kino yerinden kıpırdamadı, yemek de istemedi. Juana onun yemek istediğinde söyleyeceğini bilirdi; Kino'nun gözleri büyülenmiş gibiydi, saz kulübenin dışında uyanık bekleyen, nöbete duran uğursuzluğu duyabiliyordu; kendisinin geceye çıkmasını bekleyen kara, sürüngen varlıkları duyabiliyordu. Gece, gölgelerle doluydu, ürkünçtü, öyleyken kendisine sesleniyor, gözünü korkutmaya çalışıyor, meydan okuyordu. Sağ eli gömleğinin içine gitti, bıçağını yokladı; gözleri iri iri açılmıştı; kalktı, kapıya yürüdü.

Juana onu durdurmakta kararlıydı, dur anlamında elini kaldırdı, o anda ağzı korkuyla açıldı. Uzun gibi gelen bir an Kino, karanlığa baktı, sonra dışarı çıktı. Juana telâşlı ayak sesleri duydu, dövüşenlerin hırıltılarını, acımasız bir vuruşu. Bir an, korkudan donakaldı, sonra kedi dudakları gibi gerildi dudakları. Coyotito'yu yere, toprağın üstüne bıraktı. Ateşin etrafından bir taş kaparak dışarı koştu ama her şey olup bitmişti bu arada. Kino yerde yatıyor, kalkmaya çabalıyordu, yanında kimsecikler yoktu. Yalnızca gölgeler, o vuruş, dalgaların hışırtısı, bir de uzaklığın tıssslayışı.

Ama, kötülük, her yanı tutmuştu, çitin arkasına gizlenmişti, evin yanı başındaki gölgelere çökmüştü, havada dolanıyordu.

Juana, taşı attı, kollarını Kino'nun boynuna doladı, onu kaldırdı, kolunun altına girip eve götürdü. Kino'nun kafatasından kan sızıyordu, yanağında ta kulağından çenesine kadar uzun, derin bir kesik vardı, kanlı bir kesik. Yarı baygındı Kino. Başını iki yana sallayıp duruyordu. Gömleği yırtılmıştı, giysileri çekiştirilmiş, parçalanmıştı. Juana, hasıra oturttu onu, eteğiyle kocasının yüzünde pıhtılaşan kanı sildi. Küçük bir testide pulk getirdi, Kino kafasına üşüşen bulanıklığı dağıtmak için başını sallıyordu boyuna.

"Kimdi?" diye sordu Juana.

"Bilmem," dedi Kino. "Yüzünü görmedim."

Juana bir çanak su getirdi, Kino'nun yüzündeki kesiği temizlemeye koyuldu; Kino'nun gözleri ötelere dikiliydi.

"Kino, sevgili kocam," diye yakardı, Kino'nun gözleri ötelere dalmıştı, onu görmüyordu. "Kino, duyuyor musun beni?"

"Duyuyorum," dedi Kino duygusuz bir sesle.

"Kino, bu inci uğursuz. O bizi yok etmeden gel biz yok edelim onu. İki taş arasında ezelim. Ya da - ya da gel gerisin geri denize, geldiği yere atalım onu Kino, uğursuz bir inci bu, uğursuz!"

O konuşurken Kino'nun gözlerine yaşamın ışığı geldi yine, gözleri ışıl ışıl yanıyordu şimdi, kasları sertleşmişti, iradesi kesinlik kazanıyordu.

"Hayır," dedi. "Ben boğuşacağım bu nesneyle. Kazanacağım. Elimize geçen şansı yitirmeyeceğim." Hasıra yumruğunu indirdi. "Hiç kimse bu uğuru alamayacak elimizden," dedi. Gözleri yumuşamıştı, elini usulca Juana'nın omzuna koydu. "Ben erkeğim, inanmalısın bana," dedi. Yüzü, birdenbire kurnazlaşmıştı.

"Sabah olsun, kayığımızı alır, denizleri, dağları aşıp başkente gideriz, senle ben. Kimse bizi dolandıramaz. Erkeğinim ben."

"Kino," dedi Juana boğuk bir sesle. "Korkuyorum. Erkek dediğin de bal gibi öldürülebilir. Hadi gel, denize atalım şu inciyi."

"Sus!" dedi Kino öfkeyle. "Ben erkeğim dedim. Sus." Juana, onun sesindeki buyurucu tonu anlayarak sustu.

"Hadi biraz uyuyalım şimdi," dedi Kino. "Gün ışır ışımaz yola çıkarız. Benimle gelmekten korkmuyorsun değil mi?"

"Hayır, sevgili kocam."

Kino'nun gözleri yumuşak, sıcak bakışlarla oyalandı karısının üstünde, onun yanağını okşadı. "Hadi uyuyalım azıcık," dedi.

5

İlk horoz ötmeden yeniay doğmuştu. Kino, karanlıkta gözlerini açtı, yanında bir kıpırdanma hissetmişti; kıpırdamadan bekledi. Yalnız gözleriyle karanlığı taradı ve saz kulübenin yarıklarından sızan soluk ay ışığında, Juana'nın usulca yataktan kalktığını, sonra ocağa doğru yürüdüğünü gördü. Çıt çıkarmıyordu çalışırken, Kino onun ocağın altındaki taşı oynatışını ancak duyabildi. Sonra tıpkı bir gölge gibi, kapıya doğru kayarcasına ilerledi Juana. Bir an, Coyotito'nun yattığı beşiğin başına geldi, ardından eşikte duraladı sapsarı bir yüzle, sonra çıkıp gitti.

Kino'nun içini müthiş bir kin kaplamıştı. Hızla doğruldu, o da ses çıkarmamaya özen göstererek karısının ardından yürüdü, Juana'nın tez adımlarının kumsala yöneldiğini duyabiliyordu. Usulca ardından gitti; beynine öfkenin kanı yürümüştü. Sazların arasından sıyrıldı Juana, kumsaldaki kaya parçalarına takılıp tökezledi, işte geliyordu, derken bir koşu tutturdu. Tam inciyi fırlatacağı sırada Kino üstüne atıldı, kolunu tuttu, inciyi kaptı elinden. Yumruğunu yüzüne indirdi, Juana, kayaların arkasına yıkıldı, Kino, böğrüne bir tekme savurdu o zaman. Solgun ışıkta küçük dalgaların karısının bedenini yıkadığını görebiliyordu, etekliği suda yüzüyor, su çekilirken bacaklarına dolanıyordu. Kino hırsla baktı ona, dişleri parladı. Yılan gibi tıslıyordu, Juana başını kaldırmıştı, iri ama korkusuz gözlerle süzüyordu Kino'yu, kesilmeye hazır bir koyun gibi. Kocasının içini öldürme hırsının bürüdüğünü anlamıştı, olsundu; yazgısını benimsemişti Juana, ne diretecek, hatta ne de yakınacaktı. O anda öfke uçup gitti Kino'nun içinden, pis bir tiksintiye bıraktı yerini. Karısına sırtını döndü, kumsalı geçip saz kulübelerin sınırına vardı. Yaşadıkları, duyularını köreltmişti sanki.

Birden bir koşuşma duydu, bıçağını çıkardı, önündeki karaltıya salladı, bıçağın bir gövdeye gömüldüğünü duydu, bir ara dizlerinin üstündeydi, sonra yine yere yapıştı. Aç gözlü parmaklar giysilerini yokluyor, elinden savrulan inci, yoldaki küçük bir taşın arkasında parlıyordu. Yumuşak ay ışığında pırıl pırıldı.

Juana, suyun kenarındaki kayalardan sürünerek kalktı. Yüzü, acıdan uyuşmuş gibiydi, böğrü sızlıyordu. Bir süre dizleri üstünde doğrulmaya çabaladı, ıslak etekliği bacaklarına yapışıyordu. İçinden, Kino'ya kin duyduğu yoktu. "Ben erkeğim," demişti ya, Juana bu sözün anlamını kavramıştı. Yarı çılgın, yarı tanrıyım anlamına geliyordu bu sözler. Demek Kino gücünü bir dağa toslatacak, bir denizde sınayacaktı. Juana, kadın sezgileriyle, erkeğin yok olduğu yerde dağın kılının kıpırdamayacağını, erkeğin boğulduğu yerde denizin yine kabarıp taşacağını biliyordu. Yine de Kino'yu erkek yapan tek güç buydu, yarı-insan, yarı-tanrı olmak, Juana'nın da bir erkeğe gereksinimi vardı, erkeksiz yapamazdı. Kadınla erkek arasındaki bu ayrımlara şaşsa da onları değerlendiriyor, benimsiyor, onlarsız edemiyordu. Tabii kocasının ardından gidecekti, hiç kuşku yok. Bazen kadınlığı, sağduyusu, sakınganlığı, korunma içgüdüsü, Kino'nun erkekliğine işleyebiliyordu, üçünü de kurtarabilirdi belki. Acılar içinde ayağa kalktı, avuçlarını küçük dalgalara tuttu, yakıcı tuzlu suyla yıkadı yüzündeki bereleri. Ağır adımlarla Kino'nun ardından yürüdü kumsal boyunca.

Güneyden akan, ardı ardına dizilmiş bir bulut kümesi kaplamıştı göğü. Solgun ay, bulut öbeklerine dalıp dalıp çıkıyordu, Juana da bir an karanlıkta yürürken, öbür an aydınlığa çıkıveriyordu. Sırtı sızlıyordu, başı önüne düşmüştü. Ay buluta girdiğinde sazların arasından geçiyordu, baktı, kayanın arkasındaki patikada dev incinin ışıltısını seçti. Dizüstü çöktü, inciyi aldı, o anda ay yine bulutların arasına girdi. Juana olduğu yerde kaldı, acaba denize dönüp bu işi bitirse miydi, derken çevre ışıdı yine, önündeki patikada iki karaltının yattığını gördü. Hemen koştu, biri Kino'ydu adamların, öteki de boğazından ışıltılı, kara bir sıvı akan bir yabancı.

Kino güçlükle kımıldıyordu, kollarıyla bacakları ezilmiş bir hamam böceğininki gibi kıpırtısızdı. İşte o anda Juana, eski yaşamlarının sona erdiğini kavradı. Patikadaki ceset, Kino'nun yanında duran kara saplı bıçak, kuşkuya yer vermiyordu artık. Juana baştan beri eski dinginliği, inciden önceki günlerin hiç değilse bir parçasını kurtarmaya çabalamıştı. İşte hepsi yitip gitmişti şimdi, bir daha da ele geçmezdi. Bunu kavradığında, geçmişi bir anda sildi. Canlarını kurtarmaktan başka yapacak şey yoktu.

Acısı geçmişti şimdi, yorgunluğu da. Ölüyü patikadan sazların arasına çekti çarçabuk. Kino'ya doğru yürüdü sonra, ıslak etekliğiyle onun yüzündeki yaraları sildi. Kino kendine geliyordu, inledi.

"İnciyi aldılar. Yitirdim inciyi. Her şey bitti," dedi. "İnci yok artık."

Juana, hasta bir çocuğu avuturcasına susturdu onu, "Sus bakalım," dedi, "İşte incin. Yolda buldum. Beni duyabiliyor musun? İşte incin diyorum. Anlıyor musun? Bir adam öldürdün. Hemen kaçmalıyız. Bizim peşimize düşecekler. Ne dediğimi anlıyor musun? Gün ağarmadan gitmemiz gerek."

"Bana saldırdı," dedi Kino tedirgince. "Kendimi savunmak için vurdum."

"Dünü anımsamıyor musun?" diye sordu Juana. "Dediğini hesaba katarlar mı sanıyorsun? Kentin insanları aklında değil mi? Bu açıklamanın yararı olur mu sanıyorsun?"

Kino, derin bir soluk aldı, güçsüzlüğünü atmaya çalıştı üstünden. "Hayır," dedi, "haklısın." O zaman iradesi yine çelik gibi oldu, kendine güveni yerine geldi.

"Hadi eve git de Coyotito'yu getir," dedi, "ne kadar mısırımız varsa al gel. Kayığı suya indireyim, yola koyulalım."

Bıçağını alıp karısının yanından uzaklaştı. Kumsalda düşe kalka ilerledi, kayığının başına geldi. Ay, bulutlardan bir daha sıyrıldığında, kayığının döşemesinde kocaman bir delik gördü. Yakıcı bir öfke kapladı içini, onu güçlü kıldı.

İşte şimdi karanlık ailesini kuşatıyordu, kötülüğün ezgisi geceyi dolduruyordu, uğursuzluk, manrovların üstünde asılı kaldı, dalgaların seslerine sindi. Dedesinin kaç kez boyanmış kayığının döşemesi delinmişti. Akla getirileme-yecek bir kötülüktü bu. Bir insanı öldürmek bile bir kayığı öldürmek kadar büyük bir kötülük değildi. Çünkü kayı-ğın oğulları yoktur, kayık kendini koruyamaz, kayık yara-landı mı iyileşemez bir daha. Kino'nun öfkesine üzüntü de karışmıştı, bu son olay gevşemez bir gerginlik noktasına getirmişti onu. Artık bir hayvandı, gizlenmesi, saldırması gereken bir hayvandı yalnızca, kendini ve ailesini koru-maktan başka bir amacı yoktu. Başındaki sancıyı duymu-yordu bile. Koşarak ilerledi kumsalda, sazları yararak saz kulübesine girdi, komşularından birinin kayığını almayı düşünmedi bile. Bir kayığı delmeyi nasıl düşünmezse, bunu da bir kerecik olsun aklına getiremezdi.

Horozlar ötüyordu, tan yeri ağardı ağaracaktı. İlk ateş-lerin dumanı, saz kulübelerin duvarlarından dolanarak çıktı, kızaran ilk çöreklerin kokusu havayı tuttu. Erkenci kuşlar, sazların arasında koşuşmaya başlamışlardı. Cılız ay, ışığını yitiriyordu, bulutlar yoğunlaşıp güneye doğru yığılıyorlardı. Koyda taptaze bir rüzgâr esti, tedirgin, si-nirli, soluğunda fırtına kokusu olan bir rüzgâr, havaya da bir değişiklik, tedirginlik egemen oldu.

Evine koşan Kino, birden içinin kabardığını duydu. Artık kafası eskisi gibi karışık değildi, çünkü yapılacak tek şey vardı, Kino'nun eli önce dev inciye sonra da göm-leğinin içine asılı bıçağa gitti.

Ötede bir ışık gözünü aldı, o anda karanlığı uzun bir alev yardı, bir çatırtı, yangının som kitlesi yolu aydınlattı.

Kino koşmaya başladı, biliyordu, kendisinin saz kulübesiydi yanan. Bu evlerin birkaç dakikada kül olacağını da biliyordu. Karşıdan, bir başka karaltı, koşarak yaklaşıyordu Juana'ydı bu, kucağında Coyotito, elinde Kino'nun battaniyesi. Bebek korkudan inliyordu, Juana'nın gözleri iri iri açılmıştı, ödü kopmuş gibiydi. Kino'nun evi, gözleri önünde yanıp kül oluyordu. Juana'ya soru sormadı. Biliyordu, yine de Juana, "Her yeri didik didik etmişler, yeri kazımışlar," dedi, "bebeğin beşiğini bile altüst etmişler. Ben bakınırken dışardan ateşe verdiler evi."

Yanan evin göz alıcı ışığı Kino'nun yüzünü aydınlatıyordu. "Kim?" dedi.

"Bilmiyorum," dedi Juana. "Karanlık adamlar."

Komşular evlerinden boşalmaya başlamışlardı, alevleri gözlüyor, kendi evlerini korumak için telâşla eziyorlardı kıvılcımları. Birdenbire ürktü Kino. Işık, ürkütmüştü onu. Patikanın yanında uzanan ölüyü anımsadı birden, Juana'yı kolundan çekerek ışıktan uzak bir evin gölgelerine koştu, ışık tehlike demekti. Bir an durup düşündü, sonra gölgelerin arasında ilerledi, ta ki ağabeyi Juan Tomas'ın evine varana kadar, orada kapıdan süzüldü, Juana'yı da çekti. Dışarda, çocukların çığlıklarını, komşuların haykırışlarını duyuyordu, dostları yanan evde olabileceğini düşünmüşlerdi.

Juan Tomas'ın evi tıpatıp Kino'nun evi gibiydi: Bütün saz kulübeler birbirinin eşiydi ya, hepsi ışık ve hava alırdı dışardan, öyle ki Juana ile Kino, ağabeylerinin evinde oturdukları köşeden, dışarda yükselen alevleri gözleyebiliyorlardı. Kocaman, yırtıcı alevlere baktılar, çatının çöküşünü gördüler, yangının bir saman alevi gibi birkaç dakikada sönüşünü.

Dostlarının uyaran bağırışlarını duydular, Juan Tomas'ın karısı Apolonia'nın çığlığını. En yakın kadın akrabaları olduğundan, ailedeki ölüler adına ağıt yakıyordu.

Apolonia birden en yeni yeldirmesini giymemiş olduğunu ayırt etti, hemen eve, en yenisini almaya koştu. Duvar dibindeki sandığı karıştırırken Kino'nun fısıltısını duydu. "Sakın bağırma, Apolonia. Bir şeyimiz yok bizim."

"Buraya nasıl geldiniz?" diye sordu Apolonia.

"Soru sorma," dedi Kino. "Hemen Juan Tomas'a git, onu buraya getir, başka kimselere bizden söz etme. Bizim için çok önemli bu, Apolonia."

Kadın kalakaldı, çaresizlik içinde ellerini bağladı, "Peki kaynım," dedi sonra.

Birkaç dakika sonra Juan Tomas'ı getirmişti. Juan Tomas bir mum yaktı, büzüldükleri köşeye yürüdü, "Apolonia," dedi, "sen kapıya bak, kimseyi içeri bırakma." Daha yaşlı olduğundan karar verme yetkisini üstleniyordu. "Anlat bakalım kardeşim," dedi.

"Karanlıkta önüme çıktılar," dedi Kino. "Dövüş sırasında birini öldürdüm."

"Kim?" diye atıldı Juan Tomas.

"Bilmiyorum ki. Her şey karanlık her yan karanlıktı, tepeden tırnağa, karaltıyla doluydu."

"İnci yüzünden," dedi Juan Tomas. "Bu incide şeytan var. Onu satıp şeytanı kovmalıydın yanından. Belki hâlâ onu satıp huzura kavuşabilirsin."

Kino dedi ki: "Sevgili ağabeyim, yaşamımdan bile daha köklü bir aşağılanmaya uğradım ben. Kumsalda, kayığım delindi, evim ateşe verildi, sazlıkta da ölü bir adam yatıyor. Her kaçış yolu kapatıldı. Bizi saklamalısın ağabey."

Kino, yakından baktığında ağabeyinin gözlerinde derin bir kaygı okudu, herhangi bir hayır deme olasılığına karşı erken davrandı. "Uzun süre kalmayacağız," dedi çabucak, "Gün geçsin, gece insin o kadar. Sonra gideceğiz." "Sizi saklayacağım," dedi Juan Tomas. "Senin başına iş açmak istemem," dedi Kino. "Bir cüzamlıdan farkım yok biliyorum. Bu gece giderim, sen de güven içinde olursun." "Seni koruyacağım," dedi Juan Tomas, içeri seslendi: "Apolonia, kapıyı kapa. Kino'nun burada olduğunu sakın ağzından kaçırma."

Bütün gün, evin loşluğunda ses çıkarmadan oturdular, komşuların kendilerinden söz ettiklerini duyuyorlardı. Evin duvarlarındaki aralıklardan kemiklerini bulmak için külleri eşelediklerini görebiliyorlardı. Juan Tomas'ın evinde gizlenmiş otururken, kayığın delinme haberinin komşularda yarattığı şaşkınlığı, paniği duydular. Juan Tomas dikkatleri dağıtmak için dışarı çıktı, Kino'nun, Juana'nın ve bebeğin başlarına neler gelmiş olabileceği konusunda varsayımlar ileri sürdü. İçlerinden birine dedi ki: "Bana kalırsa başlarına çöken uğursuzluktan kurtulmak niyetiyle kumsal boyunca güneye doğru yürümüşlerdir." Bir başkasına, "Kino asla denizden ayrılmazdı," dedi. "Belki de bir başka kayık bulmuştur." Sonra da, "Apolonia yastan deliye döndü," dedi.

O gün bir rüzgâr çıktı, Körfez'i dövdü, kumsalda uzanan yosun kümeleriyle ayrıkotlarını köklerinden söktü; rüzgâr saz kulübelerde uğuldadı durdu, denizdeki teknelere ölüm korkusu çöktü. O zaman Juan Tomas, komşularına döndü: "Kino gitti gider," dedi. "Denize açılmışsa, şimdiye kadar çoktan boğulmuştur." Komşulara uğradıktan sonra eve ödünç şeylerle dönüyordu. Bir hasır çanta dolusu mercimek ödünç almıştı. Bir çanak baharat, bir kayatuzu topağı getirdi, kırk beş santim uzunluğunda, ağır bir bıçak getirdi, hem küçük bir balta, bir gereç, hem bir silahtı bu. Bu bıçağı gördüğünde Kino'nun gözleri ışıdı, kabzayı okşadı, başparmağıyla ağzın keskinliğini denedi.

Rüzgâr, Körfez'in üstünde uğulduyor, suları beyaza boyuyordu, manrovlar ürkmüş, bir sürü gibi savruluyor, topraktan yükselen incecik, sarımsı bir toz, boğucu bir bulut olup denizin üstüne çökeliyordu. İşte bu rüzgâr, bulutları dağıttı, göğü parlattı, yörenin tozunu toprağını sürükledi, tıpkı kar gibi.

Akşam çökerken Juan Tomas, kardeşiyle uzun uzun konuştu. "Nereye gideceksin?"

"Kuzeye," dedi Kino. "Kuzeyde kentler varmış duyduğuma göre."

"Kumsaldan uzak dur," dedi Juan Tomas. "Kumsalda arama yapmak için adam topluyorlar. Kentteki adamlar da peşine düşecek. İnci hâlâ sende mi?"

"Bende," dedi Kino. "Kimseye kaptırmayacağım. Onu önceleri birine armağan edebilirdim, ama artık benim uğursuzluğum, benim yaşamım oluverdi, ondan ayrılmayacağım." Gözleri sert, acımasız, hüzünlüydü.

Coyotito sızlanıyordu. Juana onu susturmak amacıyla küçük tekerlemeler, büyüler mırıldanıyordu.

"Rüzgâr esaslı," dedi Juan Tomas. "İzleri silip süpürür."

Karanlıkta, daha ay doğmadan ayrıldılar evden. Aile, Juan Tomas'ın evinde bir tören ciddiliğiyle ayağa kalktı. Juana, Coyotito'yu sırtında taşıyordu, yeldirmesiyle sarmış, ona bir beşik de yapmıştı; bebek, yanağını anasının omzuna dayamış uyuyordu. Yeldirme, bebeği sıkıca sarmalanmıştı, bir ucu da Juana'nın burnunu örtüyor, onu kötü gece ayazından koruyordu. Juan Tomas âdet üzere iki kere kucakladı kardeşini, iki yanağından öptü. "Tanrı seni korusun," dedi, ölüm gibi bir tümceydi bu. "İnciden vazgeçmeyecek misin?"

"Bu inci benim canım oldu," dedi Kino. "Ondan vazgeçersem, canımdan da olurum. Tanrı seni de korusun."

6

Rüzgâr delice bir hızla esiyor, onları çubuk, toz toprak, taş parçası yağmuruna tutuyordu. Juana ile Kino giysilerine sıkı sıkı sarındılar, burunlarını örttüler, dünyaya öyle çıktılar. Rüzgâr, göğü silip süpürmüştü, yıldızlar kara gökte buz gibi duruyorlardı. Karı koca, kasabanın merkezinden uzak kalmaya özen göstererek çekingen adımlarla yürüyorlardı. Eşikte uyuklayan biri, onların geçtiğini görebilirdi çünkü. Kasaba, geceye karşı içine kapanmıştı bir kere, karanlıkta kıpırdayan biri, hemen göze batabilirdi. Kino kentin çevresinden dolandı, yıldızlara bakarak kuzeye kıvrıldı, orada Loreto'ya giden tekerlek izleriyle, tozla kaplı toprak yolun geçtiği sazlık bölgeye vardı, Bakire Meryem'in türbesi Loreto'daydı.

Kino, savrulan tozların dizlerine değdiğini duyuyor, için için seviniyordu, ayak izleri kalmayacaktı demek. Yıldızların cılız ışığı, sazlık bölgeden geçen daracık patikayı aydınlatıyor, yol gösteriyordu. Kino, arkasından gelen Juana'nın ayak seslerini duyabiliyordu. Hızlı hızlı, gürültü çıkarmadan yürüyordu, Juana da ona yetişmeye çalışıyordu.

Kino'nun içinde çok eski bir duygu depreşti. Karanlık korkusuyla gece gezinen şeytanların korkusu arasında bir mutluluk sardı birdenbire içini; hayvansı bir şey kımıldadı yüreğinde, halkının geçmişine ilişkin bir şeyler kıpırdadı. Artık temkinliydi, tetikteydi, korku salıyordu; halkının geçmişinden bir parça canlanmıştı. Rüzgâr arkasındaydı, yıldızlar yolunu açıyordu. Rüzgâr, sazlıkta ıslıklar çalıyordu, aile tekdüze adımlarla, saatlerce yürüdü. Neden sonra, sağ yandan, solgun bir ay yükseldi, ay yükselir yükselmez de rüzgâr dindi, toprak yatıştı.

Artık önlerindeki küçük yolu, kuma bulanmış tekerlek izleriyle derinlemesine kesilmiş yolu seçebildiler. Rüzgâr dindiğine göre, izleri kalacaktı, iyi ki kasabadan oldukça uzaktaydılar, izleri dikkati çekmeyebilirdi. Kino, geniş bir tekerlek oyuğunda ilerliyordu, Juana da ardından geliyordu. Sabah kente giden büyük bir yük arabası, bıraktıkları bütün bu izleri silip süpürebilirdi.

Bütün gece yürüdüler, hızları hiç değişmeden. Bir ara Coyotito uyandı, Juana, onu göğsüne çekti, yeniden uykuya dalıncaya kadar avuttu. Gecenin kötülükleri çevrelerini kuşatmıştı. Çakallar sazlıkta haykırıyor, kahkahalar atıyorlardı, baykuşlar tepelerinde çığlıklarla, tıslamalarla dönüyordu. Bir keresinde dev bir hayvan, bitki örtüsünü ezip geçti hantal adımlarla. Kino kocaman bıçağının kabzasına yapıştı, ondan bir korunma duygusu aldı.

İncinin ezgisi utkuyla çınlıyordu kafasında. Ailenin ezgisi onun altından akıyordu, kısa sürede içiçe girip kumlarda yürüyen sandaletli ayakların hışırtısına karıştılar. Bütün gece boyunca yürüdüler karıkoca, tanın ilk ışıklarında Kino gün boyunca sığınacak bir yer aradı. Aradığı yeri yola yakın bir yerde buldular, geyiklerin uğrağı olabilecek bir açıklıktı bu, yolun kenarındaki kuru, çıtırtılı ağaçlarla örtülüydü. Juana oturup da bebeği emzirmeye koyulunca, Kino yine yola döndü. Bir dal kopararak saptıkları noktadaki ayak izlerini özenle süpürdü. Sonra ilk günışığında bir araba gıcırtısı duydu, yolun kıyısına çöktü, ağır öküzlerin çektiği çift tekerlekli bir arabanın geçişini izledi. Araba geçip gittikten sonra yoldaki çukura baktı, ayak izleri yok olmuştu şimdiden. Bıraktığı yeni izleri süpürdü, Juana'nın yanına döndü.

Juana, Apolonia'nın yolluk olarak verdiği yumuşak çörekleri uzattı ona, biraz sonra azıcık kestirdi. Kino ise bağdaşını bozmadı bile, gözlerini önündeki toprağa dikip oturdu öylece. Yürüyen karıncaları gözledi, ayağının yanında bir sıra oluşturmuşlardı, ayağıyla, yollarını kesti. Karınca sürüsü o zaman tabanının oyuğuna tırmandı, orada ilerledi, Kino ayağını oynatmadı, karıncaların üstünden geçişini izledi.

Kızgın bir güneş doğdu tepede. Artık Körfez'in yakınında değildiler, hava kuru ve sıcaktı, öyle ki sazlar sıcaktan çıtır çıtır kırılıyordu, tatlı bir sakız kokusu yükseliyordu. Güneş tepeyi bulduğunda Juana uyanınca, Kino ona bildiği şeyleri sıraladı:

"Buradaki ağaç türünden sakın," diye işaret etti parmağıyla. "Sakın buna elini değdirme, elini değdirdikten sonra gözüne götürürsen kör olursun. Kanayan ağaçtan da sakın. Şuradakini görüyor musun? Dalını kırarsan kıpkırmızı kanar bu ağaç, uğursuzluk getirir." Juana başını sallayarak gülümsedi azıcık, bunları önceden biliyordu.

"Bizim ardımıza düşecekler mi dersin?" diye sordu.

"Bizi bulmaya çalışacaklar mı?"

"Deneyecekler," dedi Kino. "Bizi kim bulursa, inciyi ele geçirecek. Elbette deneyecekler."

"Belki de," dedi Juana, "inci alıcıları haklıydılar, belki de inci değersizdir. Belki de bütün bu olan bitenler bir yanılmadır."

Kino gömleğinin içine uzattı elini, inciyi çıkardı. Gözleri kamaşana kadar oynaşan güneş ışınlarına tuttu. "Hayır," dedi, "inci değersiz olsaydı, kimse onu çalmaya kalkışmazdı."

"Sana kimler saldırdı, biliyor musun? Alıcılar mıydı acaba?"

"Bilmiyorum," dedi Kino. "Saldıranları görmedim."

İncisine bakarak eski görüntüyü yakalamaya çalıştı. "Onu sattığımız gün bir tüfeğim olacak," dedi, incinin parıldayan yüzeyinde tüfeğin görüntüsünü aradı ama göre göre yere yığılmış, boğazından ışıl ışıl kanlar sızan bir karaltı görebildi. "Nikâhımız büyük bir kilisede kıyılacak," dedi çabucak. Ve o an incinin yüzeyinde berelenmiş yüzüyle gece yarısı eve doğru sürünen Juana'yı gördü. "Oğlumuz okuma yazma öğrenmeli," diye haykırdı çılgınca. Ve incide, Coyotito'nun ilaçtan şişen, kıpkırmızı kesilen yüzü belirdi. Kino, inciyi koynuna attı yine, incinin türküsü kötücül bir uğultuydu kulaklarında, uğursuzluğun türküsüne karışmıştı.

Güneş öylesine kızgındı ki, Kino ile Juana, sazlığın oymalı gölgeliğine sığındılar, küçük, boz kuşlar gölgede sekip duruyorlardı. Kino, günün sıcağında gevşedi, şapkasını gözlerine indirdi, sineklerden korunmak amacıyla battaniyesini yüzüne çekti ve uyudu.

Ama Juana uyumadı. Taş gibi sessiz oturuyordu yerinde, yüzü kıpırtısızdı. Dudağı, Kino'nun yumruk attığı yer şişti daha, kocaman sinekler havada dolanıyor, çenesini sokuyorlardı. Yine de bir gözcü gibi kımıldamadan duruyordu. Coyotito uyanınca onu önüne aldı, yere yatırdı, kollarını sallayışını, tekmeler savuruşunu gözledi, bebek gülmeye başlayınca o da gülümsedi. Yerden küçük bir dal parçası alıp bebeği gıdıkladı, torbasındaki kabaktan su içirdi.

Kino uykusunda irkildi birden, bir çığlık koptu gırtlağından, düşsel bir dövüşte yumruğunu savurdu. Sonra inledi, ansızın doğruldu yerinde, gözleri iri iri açılmıştı, burun delikleri titriyordu. Kulak verdi havaya, çatır çatır sıcaktan ve ötelerin fısıltısından başka bir şey duyamadı.

"Ne var?" diye sordu Juana.

"Sus," dedi.

"Düş görüyordun."

"Belki de." Yine de tedirgindi, karısının çıkınından çıkarıp uzattığı yolluk çöreklerden birini çiğnerken duraladı, havaya kulak verdi. Tedirgindi, sinirliydi; omuzunun üstünden bakıp çevreyi kolaçan etti; koca bıçağını çıkarıp ağzına dokundu. Coyotito gülücükler saçmaya başlayınca, "Onu sustur," dedi Juana'ya.

"Ne oluyor, söylesene..." dedi Juana.

"Ben de bilmiyorum."

Kulak kesilen Kino'nun gözlerinde hayvansı bir ışık parıldıyordu. Derken ses çıkarmadan ayağa kalktı; iki büklüm, sazların arasından yola doğru yürüdü. Yola çıkmadı ama, bir kaktüsün dibine çökerek geldiği yöne baktı. O anda uzakta birilerinin kımıldadığını gördü. Kaskatı kesildi, başını iyice eğerek, yıkılmış bir dalın altından onları gözledi. Uzakta, üç kişiydiler, ikisi yayaydı, biri at sırtında. Kino onların ne olduklarını anlamıştı, buz gibi bir ürperti kapladı gövdesini. Bu uzaklıktan bile yaya yürüyen o iki kişinin sinsice, iki büklüm, yol aldıklarını görebiliyordu. Buraya geldiklerinde biri durup toprağa bakacak, ötekiler de yanına geleceklerdi. İz sürücülerdi bunlar, taşlı dağ yollarında burma boynuzlu koçların izini sürebilirlerdi. Av köpeği kadar duyarlıydılar. Juana ile Kino tekerlek oyuğundan bir adım çıkacak olsalar, iç bölgelerden gelme bu adamlar, bu avcılar, kırılmış bir dala, bir toz kümeciğine çeşitli anlamlar yakıştırıp izlerini okuyabilirlerdi. Onların ardından, at üstünde, kara derili, burnu battaniyeyle örtülü bir adam geliyordu, eyerindeki tüfek ışıl ışıl yanıyordu güneşte.

Kino, bir dal kadar kıpırtısızdı. Soluk bile almıyordu nerdeyse, gözleri birden izleri süpürdüğü noktaya ilişti. Bu izler bile bir anlam taşıyabilirdi avcıların gözünde. Bozkır adamlarını bilirdi. Av hayvanının ender olduğu bir ülkede avcılık yeteneklerini kullanarak geçinebiliyorlardı, şimdi de kendisinin ardındaydılar işte. Toprakta hayvanlar gibi sürünerek ilerliyor, bir belirti buldular mı, başına çöküyorlardı, atlı onları bekliyordu.

İz sürücüler, yeni bir iz bulmak üzere olan heyecanlı köpekler gibi sızıldanmaya başladılar. Kino bıçağını usulca çekti, hazırladı. Ne yapması gerektiğini biliyordu. Avcılar süpürdüğü bölgeyi keşfederlerse, hemen atlının üstüne atlaması, onu öldürüp tüfeğini alması gerekiyordu. Yapacağı tek şey buydu. Üçü gittikçe yaklaşırlarken Kino sandaletli ayaklarıyla toprakta derin oyuklar açtı, böylelikle beklenmedik bir anda saldırıya geçebilecekti, ayakları kaymayacaktı. Sarkan dalın altından çok az şey görebiliyordu.

Juana gizlendiği yerde toynak seslerini duymuştu, Coyotito gülücükler saçıyordu. Onu çabucak kucağına aldı, yeldirmesinin altına soktu, memesini ağzına tıkayınca bebek sustu.

İz sürücüler yaklaştıklarında, Kino, sarkık dalın altından onların yalnızca bacaklarını bir de atın bacaklarını görebildi. Adamların esmer, nasırlı ayaklarını, eski püskü beyaz giysilerini de gördü, eyerin gıcırtısını, mahmuzların şakırtısını duydu. İz sürücüler durdular, süpürülen bölgeyi incelediler, atlı da durdu. At, gemini zorladı, kantarma dilinin altında şaklayınca, öfkeyle kişnedi. O anda kara derili iz sürücüler dönüp baktılar, atı incelediler, onun kulaklarını gözden geçirdiler.

Kino soluk bile almıyordu, sırtı gerilmişti, kollarının, bacaklarının kasları kaskatıydı, üst dudağından terler akıyordu. Uzun bir süre, iz sürücüler eğilip toprağa baktılar, sonra usulca, önlerindeki yolu inceleyerek ilerlediler, atlı da arkalarından gitti. İz sürücüler, ara sıra durarak, bakınarak, hızlanarak ilerliyorlardı. Yakında dönerlerdi, Kino biliyordu. Halkalar çizerek, arayacak, gözetleyecek, eğilip kulak verecek ama eninde sonunda kendisinin izleri sildiği noktaya döneceklerdi.

Hızla geriye sıçradı, izlerini örtmeyi düşünmedi bile. Zaten örtemezdi de; sürüyle küçük iz vardı ortada, sürüyle kırık dal, eşelenmiş toprak kümesi, yerinden oynamış taşlar. Kino'yu bir korku sarmıştı şimdi, iz sürücüler izini bulacaklardı kesinlikle, biliyordu. Hiçbir çıkar yol yoktu kaçmaktan başka. Yoldan saptı, çıt çıkarmadan, çabucak Juana'nın saklandığı yere koştu. Soru dolu gözlerle baktı Juana:

"İz sürücüler!" dedi Kino. "Hadi koş!"

Sonra bir çaresizlik, bir umutsuzluk bulutu geçti yüzünden, yüzü karardı, gözleri hüzünlendi. "Belki de beni yakalamalarına izin vermeliyim."

Juana o an ayağa fırlamıştı, eli kocasının kolundaydı. "İnci sende," dedi boğuk bir sesle. "Seni sağ salim geri götürüp inciyi çaldıklarını söyleyecekler mi sanıyorsun yoksa?"

Kino'nun eli bitkince gömleğinin içine, inciyi sakladığı yere gitti. "Nasılsa bulacaklar inciyi," dedi güçsüz bir sesle.

"Hadi yürü," dedi Juana. "Hadi!"

Onun yanıt vermediğini görünce de, "Beni sağ bırakırlar mı sanıyorsun? Şu küçücük çocuğu sağ bırakırlar mı sanıyorsun?"

Juana'nın söyledikleri beyninde çınladı. Kino'nun; dudakları gerildi, gözleri yabanıllaştı. "Yürü!" dedi. "Dağlara gidelim. Belki de dağlarda atlatabiliriz onları."

Çılgına dönmüşçesine kabakları topladı, küçük çıkınları da. Sol elinde bir bohça taşıyordu, bıçağı sağ elindeydi, serbestçe sallanıyordu. Sazlıklardan Juana'ya yol açtı, batıya, yüksek taşlık dağların bulunduğu yöreye doğru hızla ilerlediler. Birbirine dolanmış çalılar arasından geçtiler. Düpedüz panikten kaynaklanan bir kaçıştı bu. Kino, geçtiği yolu gizlemeye kalkışmadı bile, ne taşları tekmeledi, ne de küçük ağaçlardaki geveze yaprakları kopardı. Güneş, kuru, çatırdayan toprağa öylesine abanmıştı ki bitkiler bile hışırtıyla baş kaldırıyorlardı. Ama ötede çıplak granit dağlar, erezyona uğramış topraktan yükseliyor, göğe karşı som bir kitle halinde duruyorlardı. Kino, izi sürülen bütün hayvanlar gibi yüksek bir yer bulma derdindeydi.

Çorak bir topraktı bu, köklerinde su biriktiren kaktüslerle, kalın köklü, toprağın derinlerine inip azıcık su bulan, onunla yetinebilen sazlarla doluydu. Ayakları altındaki bölge, topraktan değil, kırılmış kayalardan oluşuyordu. Kaya parçaları ufalanmış, büyük dilimlere ayrılmış ve hiçbiri suyla yassılmamıştı, aşınmamıştı. Taşların arasında hüzünlü, kuru ot kümeleri büyüyordu, bir yağmurla fışkırmış, sonra tohumunu döküp ölmüş otlar. Boynuzlu kurbağalar, ailenin geçişini izliyor, küçük, canavarsı başlarını her yana döndürüyorlardı. Ara sıra iri bir tavşan, gölgede rahatı kaçınca fırlıyor, en yakın kayanın ardına saklanıyordu. Bozkırı boydan boya kaplamıştı kavurucu sıcak, ötede taşlık dağlar, serin görünümleriyle kucak açıyorlardı.

Kino kaçtı boyuna. Ne olacağını biliyordu. Yolun biraz ötesindeki iz sürücüler, izleri yitirdiklerini anlayacak, geri döneceklerdi, her yanı tarayacak, aralarında tartışacaklardı, çok geçmez Kino ile Juana'nın konakladıkları yeri bulurlardı. Ondan sonrası kolaydı şu küçük taşlar, düşmüş yapraklar, savrulmuş ağaçlar, ayağın tökezlediği toprak yığınları... Kino onları gözlerinin önüne getirebiliyordu, izlerin yanından gidiyor, heyecandan içlerini çekiyor, arkalarından da bütün karanlığı ve kayıtsızlığıyla tüfekli atlı geliyordu. Onun işi en sondaydı, onları geri götürmeyecekti ki. Ah, kötülüğün ezgisi nasıl da uğulduyordu Kino'nun kulaklarında! Sıcağın sızıltısıyla, yılanların kuru takırtılarıyla iç içeydi. Artık geniş ve kapsayıcı değildi, sinsi ve zehirliydi, Kino'nun yüreği küt küt atıyor, bir başka ses, bir tempo katıyordu ona.

Yol, yokuşa vurmuştu, bu arada kayalar da irileşmişti. Şimdi Kino, ailesiyle iz sürücüler arasına bir mesafe koyabilmişti. İlk tepede dinleniyordu. Kocaman bir kayaya tırmandı, gerisindeki ışıldayan toprağa bir bakış attı, gelgelelim düşmanlarını göremedi, çalılar arasında ilerleyen uzun boylu atlıyı bile. Juana, kayanın gölgesine sığınmıştı. Su testisini Coyotito'nun dudaklarına götürdü; bebeğin kurumuş dili, oburca yapıştı testiye. Kino geri döndüğünde, Juana ona baktı; kocası da onun taşlardan ve sazlardan sıyrılmış, çizilmiş bileklerine bakıyordu, hemen etekliğini örttü bileklerine. Sonra testiyi uzattı; Kino, hayır anlamında başını salladı. Juana'nın gözleri, bitkin yüzünde ışıl ışıldı. Kino, çatlak dudaklarını diliyle ıslattı.

"Juana," dedi. "Ben yola devam edeceğim, sen saklanacaksın. Dağlara süreceğim onları, onlar geçip gittikten sonra sen de kuzeye, ya Lorento'ya ya da Santa Rosalia'ya falan gidersin. Ben de paçamı kurtarırsam, gelirim. Tek güvenli yol bu."

Juana, bir an, dopdolu baktı kocasının gözlerine. "Hayır," dedi, "biz de seninle geleceğiz, olmaz."

"Ben yalnızken daha hızlı yol alırım," dedi Kino sertçe. "Benimle gelirsen küçüğü daha beter tehlikeye atmış olursun "

"Olmaz," dedi Juana.

"Gitmelisin. Hem en akıllıcası bu, hem de ben öyle istiyorum."

"Olmaz," dedi Juana.

Kino, karısının yüzünde bir zayıflık, bir korku, bir kararsızlık belirtisi aradı, hiçbirini bulamadı. Gözleri ışıl ışıldı Juana'nın. Kino, omuzlarını çaresizce silkti, onun gücünden güç almıştı. Yola çıktıklarında, yüreği ürpermiyordu artık.

Dağlara doğru yükseldikçe arazi hızla değişiyordu. Şimdi derin yarıklarla birleşen granit çıkıntıları vardı önlerinde, Kino, iz barındırmayan taşlar üstünde yürüyordu elinden geldiğince, tepeden tepeye atlıyordu. İzi yitirdiklerinde, avcıların yeniden dönüp bir yay çizmeleri gerekirdi. O yüzden Kino dağlara doğru dümdüz ilerlemiyordu artık, zikzaklar çizerek yol alıyordu; ara sıra güneye sapıyor, aldatmaca bir iz bırakıyor, sonra yine çıplak taşlar üstünden dağlara vuruyordu. Patika sarplaşmıştı iyice, tırmanırken soluğu daralıyordu.

Güneş, aşağıya, dağların çıplak sivri dişlerine çöküyordu. Kino, dağ sıraları arasındaki karanlık, gölgeli bir yarığı gözüne kestirdi. İhtiyaçları olan suyu orada bulacaklarını düşündü. Çünkü uzaktan da olsa bir parça yeşillik seçiliyordu. Aynı şekilde, bu pürüzsüz kaya sıralarında bir gedik varsa, ille de bu derin yarıkta olmalıydı geçit yeri. Bir tehlikeyi göğüslemesi gerekiyordu ama iz sürücüler de akıl ederlerdi bu kadarını, yine de matarası boşalmıştı ya, bunları düşünecek hali yoktu. Güneş batarken, Kino ile Juana, o yarığa varmak için sarp yamaçtan yukarı canlarını dişlerine takmış tırmanıyorlardı.

Boz kayalık dağların tepesinde, siperli bir doruğun altında, kayalardaki oyuktan küçük bir kaynak fışkırıyordu. Yazın gölgede kalıp erimeyen karlarla besleniyordu besbelli ve bu mevsimde hepten kurumuştu, yatağını çıplak kayalarla kuru yosunlar bürümüştü. Fakat, hemen her zaman ansızın fışkırdığı oluyordu, soğuk, temiz, güzeldi suyu. Sağanaklar başladığında kabarıyordu bazı bazı, beyaz köpüklü suları bir oluk olup dağ yarığı boyunca çağlıyordu, ama genellikle cılız, küçücük bir dereydi. Önce bir gölcüğe doluyordu, sonra kırk metre kadar aşağılarda bir gölcük daha oluşturuyordu; o gölcük taşınca daha aşağılara akıyordu su, böyle sürüyordu, gittikçe daha aşağılara, ta ki yaylaya gelip de yok olana kadar. Bu arada suyu da kalmıyordu, çünkü kayaları her aşışında susuz toprak suyunun çoğunu emiyordu, suyun bir bölüğü de taşan gölcüklerden, çoraklıktan kırılan bitkilere sıçrıyordu. Hayvanlar, kilometrelerce öteden gelip bu küçük gölcüklerde su içiyorlardı, yaban koyunları, geyikler, pumalarla rakunlar, hatta fareler, hepsi su içmeye geliyorlardı. Günlerini sazlıkta geçiren kuşlar geceleri, dağın yarığında küçük basamaklara benzeyen bu gölcüklere doluşuyorlardı.

Küçük derenin yanında, köklerin tutunmasına elverişli yerlerde bitki kolonileri boy atıyordu, yaban üzümü, küçük palmiyeler, baldırıkara otları, amber çiçekleri, tüylü asalarıyla salman pampa otlarıysa, dikenli yaprakların üstünden bakıyordu. Burayı kurbağalarla yusufçuklar yurt edinmişlerdi, su sinekleri derinlerde dolanıp duruyorlardı. Suyu seven her canlı koşmuştu gölgelik alana. Kediler avlarını orada yakalıyor, çevreye didiklediği tüyler saçıyor, kanlı dişleriyle usulca su içiyorlardı.

Dere kırk metre aşağılara inmeden, yani taşlık bozkırda yitip gitmeden önce suyun hız aldığı en alt basamakta, taştan ve kumdan bir çıkıntı oluşmuştu. Gerçi gölcüğe ancak parmak kalınlığında bir su şeridi akıyordu ama gölcüğü dolu tutmaya, çıkıntılı kayanın altındaki eğreltiotlarının yeşilliğini korumaya yetiyordu bu kadarı; yaban üzümleri taşlık dağa tırmanıyordu, her türden bodur bitki rahatça serpiliyordu burada. Kabaran su, gölcüğe yatak olabilecek küçük bir kumsal da oluşturmuştu, nemli kumda, parlak yeşil sutereleri boy atmıştı. Kumsal, su içmeye ya da avlanmaya gelen hayvanların ayak izleriyle boydan boya delik deşik olmuştu.

Kino ile Juana sarp, engebeli yamacı aşıp da sonunda suya vardıklarında güneş, dağların ötesine geçmişti. Bulundukları yerden güneşin kavurduğu bozkırı, ötedeki Körfez'i görebiliyorlardı. Gölün kıyısına bitkin bir durumda gelmişlerdi. Juana dizlerinin üstüne yıkıldı, önce Coyotito'nun yüzüne su çarptı, sonra matarayı doldurup su içirdi ona. Bebek de bitkin düşmüştü, huysuzlanıyordu, Juana ağzına memesini dayayana kadar sızlandı, sonra kaptı memeyi. Kino uzun uzun, büyük bir istekle sudan içti. Bir ara derenin kıyısına uzandı, kasları gevşemişti, Juana'nın bebeği emzirişini gözledi, sonra yine ayağa kalktı, suyun döküldüğü taş çıkıntının ucuna yürüdü, uzakları dikkatle taradı. Gözleri bir noktaya ilişince kaskatı kesildi. Yamacın bitiminde iki iz sürücü duruyorlardı; ufukta bir noktadan ya da koşuşan karıncalardan farksızdılar, arkalarında daha iri bir karınca vardı.

Juana, kocasına dönmüştü, onun gerginleştiğini fark etmişti.

"Ne kadar uzaktalar?" dedi usulca.

"Akşama kalmaz buraya varırlar," dedi Kino. Suyun çağladığı dar, uzun oluğa baktı. "Batıya yürümeliyiz," dedi; gözleri, yarığın arkasında kalan kaya sırtını aradı. Sırtın on metre kadar üstünde toprak kayması sonucu oluşmuş bir dizi kovuk gördü. Sandaletlerini attı, oraya tırmandı, ayak parmaklarıyla çıplak kayaya tutunmaya çalışarak, daracık kovuklara bir göz attı. Derinlikleri bir metreyi geçmiyordu, rüzgarın oyduğu çukurlardı bunlar ne olsa, yine de hafifçe aşağıya, geriye doğru bir eğimleri vardı. Kino en büyüğüne girdi, yere uzandı, o anda dışardan görülmeyeceğine inandı. Hemen Juana'nın yanına döndü.

"Yukarı tırmanmalısın," dedi. "Belki bizi orada bulamazlar."

Juana, hiç soru sormadan matarasını ağzına kadar doldurdu; Kino onun kovuğa tırmanmasına yardım etti, yiyecek torbalarını taşıyıp uzattı içeri. Juana, kovuğun ağzında oturmuş onu izliyordu. Kocasının, kumda bıraktığı izleri silmeye çalışmadığını gördü. Tersine, suyun yanı başındaki sazlara tırmanıyor, eğreltiotlarıyla yaban üzümlerini hoyratça koparıyor, paralıyordu. Üç yüz metre daha tırmandı Kino, bir ötedeki çıkıntıya ulaştıktan sonra indi yine. Kovuğa bakan pürüzsüz kaya sırtını inceledi, bir belirti var mı diye, sonunda sürünerek Juana'nın yanına uzandı.

"Geldiklerinde," dedi, "kaçacağız, aşağı ineceğiz yine. Tek korkum, bebeğin ağlaması. Onu ağlatmamaya çalış."

"Ağlamaz," dedi Juana, bebeğin yüzünü kendi yüzüne yaklaştırdı, gözlerinin içine baktı, bebek de gözlerini ondan ayırmadı.

"Anlıyor," dedi Juana.

Kino, çenesini kollarına dayamış, kovuğun girişinde yatıyordu şimdi; dağın mavi gölgesinin kımıldayışını, aşağıdaki bozkırı geçip Körfez'e varışını gözledi, gölgenin uzun alacakaranlığı toprakta asılı kaldı. İz sürücüler, Kino'nun bıraktığı izlerle kolay baş edememiş olmalıydılar ki, gelişleri uzun sürdü. Küçük göle vardıklarında karanlık çökmek üzereydi. Artık üçü de yayaydılar, at son sarp yamacı tırmanamazdı. Yüksekten bakıldığında, karanlıkta incecik gölgeleri andırıyorlardı. İki iz sürücü, küçük kumsalda dolanıp duruyorlardı, derken Kino'nun kayaya tırmanan izleri gözlerine çarptı. Tüfekli adam oturdu, mola verdi, iz sürücüler de onun yanına çöktüler, karanlıkta sigaralarının ateşi yanıp yanıp sönüyordu. Kino, onların yemek yediklerini görebiliyordu, seslerinin yumuşak mırıltısı geliyordu kulağına.

Sonra karanlık bastırdı, yoğun ve kara bir bulutla indi yarığa. Gölcüğe dadanan hayvanlar, yakına geldiler, insan kokusu aldılar, yine karanlığa daldılar usulca.

Kino, arkasında bir mırıltı duydu. Juana fısıldıyordu. "Coyotito," diye yalvarıyordu bebeğe. Kino bebeğin mızıldandığını duyuyordu, o boğuk seslerden Juana'nın bebeğin başını yeldirmeyle örttüğünü anladı.

Aşağıdaki kumsalda bir kibrit çakıldı. Bir anlık ışıkta Kino, adamlardan ikisinin uyuduğunu gördü, köpekler gibi büzülmüşlerdi, üçüncüsüyse gözcülük ediyordu, kibrit ışığında tüfeğin parıltısını seçti. Sonra ışık söndü, sönerken Kino'nun gözlerinde bir imge bıraktı. Adamların ikisinin nasıl büzülmüş yattığını, üçüncüsünün nasıl kumlara çökmüş, tüfeğini bacaklarının arasına aldığını görebilmişti.

Kino ses etmeden kovuğa çekildi. Juana'nın gözleri yere yakın bir yıldızdan yansıyan iki kıvılcımdı. Kino sürünerek ona yaklaştı, dudaklarını yanağına yapıştırdı.

"Bir çıkar yol var," dedi.

"Ama seni öldürürler."

"Önce tüfekli olanı haklarsam," dedi Kino. "Önce ona yüklenmeliyim, ancak o zaman kurtarırım kendimi. Öbür ikisi uyuyorlar."

Juana'nın eli yeldirmenin altından uzandı, onun kolunu yakaladı. "Yıldız ışığında beyaz elbiselerini mutlaka görürler," dedi.

"Hayır," dedi Kino. "Ay doğmadan yola çıkmalıyım."

Dokunaklı bir söz aradı, vazgeçti. "Beni öldürürlerse," dedi, "hiç ses etme. Onlar gider gitmez de Lorento'ya doğru yola çık."

Bileğini tutan el, hafifçe titriyordu.

"Başka yolu yok," dedi Kino. "Tek çıkar yol bu. Sabah bizi nasılsa bulacaklar."

Juana'nın sesi titriyordu. "Tanrı seni korusun," dedi.

Kino, onun yüzüne çok yakından baktı, iri gözlerinin içine. El yordamıyla bebeği tuttu, bir an eli, Coyotito'nun başında duraladı. Sonra elini Juana'nın yanağına uzattı, onu okşadı, Juana soluğunu tuttu.

Kovuğun girişine vuran günışığında Juana, Kino'nun beyaz giysileri çıkardığını görebiliyordu, her ne kadar kirli ve parça parça da olsalar, gece karanlığında seçilebilirlerdi. Esmer derisi onu daha iyi korurdu. Juana, kocasının boynuna bağlı kemendi bıçağının kabzasına iliştirdiğini gördü, böylece iki eli de serbest kalıyordu. Kino, bir daha

karısına dönmedi. Bir an gövdesi kovuğun girişinde bir ka-
raltı olarak durdu, iki büklüm, suskun, sonra çekip gitti.
Juana, kovuğun ağzına yürüdü, dışarıya baktı. Dağdaki
oyuktan bakarken bir baykuşu andırıyordu, bebek, sırtın-
da battaniyeye sarılıydı, yanağı annesinin ensesiyle om-
zuna yaslıydı. Onun soluğunu teninde duyuyordu Juana,
bir yandan da dua ve büyü karışımı fısıltılarla Kutsal
Meryem'e yakarıyor, insan düşmanı varlıklara karşı on-
dan yardım dileniyordu.

Dışarı baktığında gece daha az karanlıkmış gibi geldi,
doğuda, ayın doğması gereken yerde, bir şimşek çaktı.
Juana aşağı bakınca, gözcülük eden adamın sigarasını seçti.

Kino, pürüzsüz kaya çıkıntısından aşağı bir kertenke-
le gibi kaydı. Boynundaki kemendi arkaya çevirdi, büyük
bıçağı sırtındaydı şimdi, böylece taşlara çarpıp gürültü çı-
karmıyordu. Avuçlarıyla kayaya tutunuyor, çıplak ayak-
larıyla bastığı yeri yokluyordu, kaymamak için göğsünü
taşlara yapıştırmıştı. Çünkü en ufak bir gürültü, yuvar-
lanan bir çakıl, bir iç çekiş, kayalara sürtünen bir gövdenin
hışırtısı bile aşağıdaki gözcüyü uyarabilirdi. Geceye ilişkin
olmayan herhangi bir ses, uyarmaya yeterdi. Gelgelelim
gece de hepten sessiz değildi; derenin kıyısında barınan
ağaç kurbağaları kuşlar gibi ötüyorlardı, ağustos böcek-
lerinin tiz, metalsi cızırtıları dağ yarığını doldurmuştu.
Kino'nun kafasında kendi öz ezgisi vardı, düşmanın ezgisi
alçak sesle çınlıyor, kulaklarında vınlıyordu, ama dinmek
üzereydi. Öte yandan Ailenin Türküsü, dişi bir pumanın
kükreyişi kadar yırtıcı, keskin, sinsiydi. Şimdi canlanmıştı
iyiden iyiye, Kino'yu kara düşmanın üstüne sürüyordu.

Çığırtkan ağustosböceği bu ezgiyi ezberlemişti sanki, cırlayan ağaç kurbağaları ondan parçalar söylüyorlardı.

Kino, bir gölge gibi, sessizce kaydı pürüzsüz dağ yüzeyinden. Çıplak ayağı birkaç santim aşağıya inmeye görsün parmakları hemen taşı kavrayıveriyordu, derken öbür ayak kayıyordu birkaç santim, derken avucu, sonra öteki avuç, sonunda bütün gövde kımıldamış görünmeden kımıldamış oluyordu. Kino'nun ağzı açıktı, solumak bile istemiyordu çünkü, görünmez değildi ki. Gözcü, bir kıpırtı sezip de gövdesini yapıştırdığı yere, taştaki gölgeye bakacak olursa, onu görebilirdi. Kino, gözcünün dikkatini çekmeyecek biçimde ağır ağır ilerlemek zorundaydı. Dağın eteğine inmesi ve bodur bir palmiyenin arkasına gizlenmesi çok uzun sürdü. Yüreği göğüs kafesinde güm güm atıyordu, elleri, yüzü, terden sırılsıklamdı. Çömeldi, sakinleşinceye kadar uzun uzun, derin derin soluk aldı.

Düşmanla arasında yalnızca altı metre kalmıştı şimdi, aradaki toprak parçasını gözlerinin önüne getirmeye çalıştı. Atılırken önüne çıkabilecek, tökezletebilecek bir taş var mıydı? Uyuşan bacaklarını ovuşturdu, bu uzun gerginlikten sonra kasları sapır sapır titriyordu. Korkuyla doğuya baktı. Birkaç dakikaya kadar ay doğacaktı, ay doğmadan saldırıya geçmesi gerekiyordu. Gözcünün karaltısını görüyordu da uyuyan adamlar görüş açısının altında kalıyorlardı. Kino'nun gözcüyü haklaması gerekiyordu hem de tez elden, hiç duraksamadan. Usulca kemendin sırımını omzundan geçirdi, bıçağının boynuzdan kabzasındaki ilmeği gevşetti.

Ne yazık ki geç kalmıştı; tam ayağa kalkarken ayın gümüşsü tepsisi doğu göğünden sıyrılıverdi, Kino da sazların arkasına sindi yine.

Eski, delik deşik bir aydı bu, yine de keskin bir ışık, keskin bir gölge veriyordu dağ yarığına, şimdi Kino gölcüğün kıyısındaki ufak kumsalda oturan gözcüyü seçebiliyordu. Gözcü gözlerini aydan ayırmıyordu, bir sigara daha yaktı, kibrit karanlık yüzünü aydınlattı bir an. Artık beklemek söz konusu değildi; gözcü başını çevirir çevirmez Kino atılmalıydı. Gerilmiş yay gibiydi bacakları.

O sırada tepeden bir ağlama sesi geldi. Gözcü dönüp kulak kesildi, sonra ayağa kalktı, yerde yatanlardan biri de uyandı, alçak sesle sordu: "Ne var?"

"Bilmem," dedi gözcü. "Bir çığlığa benziyordu, bir insan çığlığına, bebek ağlaması gibi."

Uyanan, "Bilemezsin ki," dedi. "Belki de kancık bir çakalın eniğidir. Çakal yavruları bebek sesi çıkarırlar."

Kino'nun alnından ter damlaları sızıyordu, gözleri terden yanıyordu. Çığlık yine duyuldu, gözcü yamaçtan yukarı, karanlık kovuğa baktı.

"Belki de çakaldır," dedi. Kino tüfeğin çıkarttığı tık sesini duydu.

"Çakalsa eğer, bu işini bitirir," dedi gözcü tüfeğini doğrulturken.

Tüfek patlayıp da yalazı gözünü kamaştırdığında Kino sıçramıştı. Bıçak savruldu, ete gömüldü. Boynu yarıp göğse saplandı, Kino korkunç bir makine olmuştu şimdi. Bıçağını burarak çıkarttı, hemen tüfeği kaptı. Gücü, atılışı ve hızıyla bir makine olmuştu. Döndü, oturan adamın başını bir kavun gibi vurdu. Üçüncü adam yengeç gibi yan yan uzaklaştı, gölcüğe daldı, sonra çılgınca suyun bir oluk halinde çağladığı kayaya tırmanmaya çabaladı. Elleri ayakları yabani asmaya dolandı, derisi yüzüldü, kalkmaya davranırken inliyor, anlaşılmaz bir şeyler söyleniyordu. Ne var ki Kino, çelik gibi soğuk ve ölümcüldü artık. Tüfeği doldurdu, doğrulttu, soğukkanlılıkla nişan aldı, ateş etti. Düşmanın gölcüğe sırtüstü yuvarlanışını izledi, ardından suya yürüdü. Ay ışığında, korkudan deliye dönmüş adamın gözlerini gördü, yine nişan aldı, gözlerinin arasından vurdu onu.

Kararsızdı ayağa kalktığında. Bir terslik vardı, bir şey beynini kurcalıyordu sanki. Ağaç kurbağalarıyla ağustosböcekleri susmuşlardı şimdi. O sırada Kino'nun beyni o kırmızı yoğunluktan sıyrıldı, tanıdı duyduğu sesi -kayalık dağın yamacındaki küçük kovuktan gelen o tiz, yaslı, çılgın haykırışı - ölüm çığlığını.

La Paz'da herkes ailenin dönüşünü anımsar; belki de eskilerden olayı görenler vardır, ama olayı babalarından ve dedelerinden dinleyenler de aynı canlılıkla anımsarlar. Herkesin başına gelmiş bir olaydır bu.

O altın ikindinin geç saatlerinde önce küçük oğlanlar, kasabanın sokaklarında koşuşup Kino ile Juana'nın geri döndükleri haberini yaydılar. Herkes onları karşılamaya koştu. Güneş, batı dağlarına doğru kayıyordu, toprağa düşen gölgeler upuzundu. Belki de onları görenlerin bunca etkilenmeleri bu yüzdendi.

Karıkoca toprak yoldan kente doğru geliyorlardı, her zamanki gibi Kino önde, Juana arkada değildi, yan yana yürüyorlardı. Güneş arkalarındaydı, uzun gölgeleri önlerine düşmüştü. Sırtlarında karanlıktan iki kule taşıyorlardı sanki. Kino'nun omzuna bir tüfek asılıydı, Juana'nın yeldirmesi bohça gibi sarkıyordu omzundan. Bohçada küçücük, yumuşacık bir yük vardı. Yeldirme, kan lekeleri içindeydi, Juana yürürken, omzundaki yük iki yana sallanıyordu hafifçe. Juana'nın yüzü sertti, çizgilerle kaplıydı, derisi yorgunluktan ve yorgunluğu alt etme uğrunda gösterdiği çabadan, gerginlikten ötürü kayış gibiydi. İri gözleri kendi içine dönüktü. Cennet kadar uzak, bir o kadar erişilmezdi. Kino'nun dudakları büzülmüştü, çene kemikleri kaskatıydı, derler ki yanında korku taşıyormuş, patlayacak bir fırtına kadar ürkütücüymüş. Derler ki ikisi de insan deneyiminden çok uzaklara düşmüş gibiymişler, acıdan geçip acının öte yanından çıkmışlar; derler ki, nerdeyse tılsımlı denebilecek bir korunma aylası varmış çevrelerinde. Onları karşılamaya koşuşan kalabalık hemen gerilemiş, yol açmış, tek söz söylememiş.

Kino ile Juana gerçekte var olmayan bir yerden geçercesine geçmişler kentten. Ne sağa bakıyorlarmış, ne sola, ne göğe, ne yere, yalnızca önlerine bakıyorlarmış. Biraz sendeliyorlarmış yürürken, usta ellerden çıkma tahta bebekler gibi ve yedeklerinde kara korku sütunları getiriyorlarmış. Onlar bu taş ve kerpiç kentinden geçerken, simsarlar parmaklıklı pencerelerinden gözlemişler onları, uşaklar, hizmetçiler, kapı aralıklarına yapıştırmışlar gözlerini ve analar en küçük çocuklarının yüzlerini öte yana çevirip etekleriyle örtmüşler. Kino ile Juana, taş ve kerpiç kentinden, ötedeki saz kulübelerden omuz omuza geçmişler, komşular gerileyip yol vermişler onlara. Juan

Tomas hoş geldiniz demek için elini kaldırmış da ağzından tek söz çıkmamış, yalnız eli bir an havada kalmış kararsızca.

Kino'nun kulaklarında Ailenin Türküsü bir çığlık gibi yırtıcıydı. Dokunulmazlaşmıştı Kino, korkunçtu, türküsü bir savaş çığlığına dönmüştü. Bir zamanlar evlerinin bulunduğu yangın yerinden geçerken dönüp bakmadılar bile. Kumsalı çevreleyen sazları yarıp suya doğru yürüdüler. Kino'nun dibi delik sandalına da bakmadılar.

Suyun kenarına geldiklerinde durup Körfez'e baktılar uzun uzun. Sonra Kino tüfeğini yere bıraktı, giysilerini yoklayıp dev inciyi çıkardı, avucunda tuttu, incinin yüzeyi boz renkteydi, irinliydi. O yüzeyden, kötü yüzler bakıyordu, yangın ışıkları görünüyordu. Kino incinin yüzeyinde, o küçük mağarada başı uçurularak ölen Coyotito'yu gördü. Çirkindi inci; boz renkteydi, uğursuz bir şiş gibiydi. Kino, incinin çarpık, çılgın ezgisini duydu. Eli titredi azıcık, usulca Juana'ya dönüp inciyi ona uzattı. Juana yanında duruyordu, küçük, cansız yük, hâlâ omzundaydı. Bir an, kocasının avucundaki inciye baktı, sonra Kino'nun gözlerine ve dedi ki usulca: "Hayır, sen!"

Ve Kino geriledi, olanca gücüyle fırlattı inciyi. Kino ile Juana, batan güneşin ışıklarında incinin ışıldayarak yana döne uzaklaştığını izlediler. Ötede ufak bir şıpırtıyla suların fışkırdığını gördüler. Bir süre yan yana durup o noktaya baktılar.

Ve inci, güzelim yeşil sulara battı, derinlere gömüldü. Salınan yosunlar seslendiler, el ettiler ona. Yüzeyindeki ışıklar yeşil ve güzeldi. Dipteki kumlara, eğreltimsi otlar arasına çöktü inci. Yukarıda, suyun yüzeyi yeşil bir aynaydı. Ve inci, denizin dibinde yatıyordu. Dibi tarayan bir yengeç ufak bir kum bulutu kaldırdı, kumlar çöktüğünde inci gitmişti bile.

Ve incinin ezgisi bir fısıltıya döndü, silindi gitti.

Fareler ve İnsanlar

JOHN STEINBECK

Türkçesi: Ayşe Ece

Pulitzer ve Nobel Edebiyat Ödülü'nü kazanan John Steinbeck'in çağımızın toplumsal ve insani meselelerini ustalıkla resmettiği eserleri modern dünya edebiyatının başyapıtları arasında yer alır. Steinbeck romanlarında yalın ve keskin bir gerçeklik sunarken yine de her seferinde çarpıcı bir öykü ile çıkar okurunun karşısına. Tarihin bir kesitindeki dramı insani ayrıntıları kaçırmadan sergilerken, "tozpembe olmayan gerçekçi bir umudun" türküsünü dillendirir. Bu nedenle eserleri edebi değerleri kadar güncelliklerini de hiç yitirmemiştir.

Fareler ve İnsanlar, birbirine zıt karakterdeki iki mevsimlik tarım işçisinin, zeki George Milton ve onun güçlü kuvvetli ama aklı dengesi bozuk yoldaşı Lennie Small'un öyküsünü anlatır. Küçük bir toprak satın alıp insanca bir hayat yaşamanın hayalini kuran bu ikilinin öyküsünde dostluk ve dayanışma duygusu önemli bir yer tutar. Steinbeck insanın insanla ilişkisini anlatmakla kalmaz, insanın doğayla ve toplumla kurduğu ilişkileri de konu eder bu destansı romanında. Kitabın ismine ilham veren Robert Burns şiirindeki gibi; "En iyi planları farelerin ve insanların / Sıkça ters gider..."